MW00666997

Gramática Ativa 1

Isabel Coimbra
Olga Mata Coimbra

Versão Brasileira:
Lamartine Bião Oberg

EMPRESA PROMOTORA DA LÍNGUA PORTUGUESA

LIDEL
Lidel - edições técnicas, lda

Da mesma Editora:

— **PORTUGUÊS XXI – Nova Edição**
Curso de Português Língua Estrangeira estruturado em 3 níveis: iniciação, elementar e intermediário.
Componentes: Livro do Aluno + Arquivos de áudio, Caderno de Exercícios e Livro do Professor.

— **PRATICAR PORTUGUÊS**
Atividades linguísticas variadas, destinadas a alunos de Português Língua Estrangeira de nível elementar e/ou intermediário.

— **DIALOGAR EM PORTUGUÊS**
Livro de exercícios para o desenvolvimento da comunicação oral. Inclui arquivos de áudio com a gravação de todos os textos.

— **OLÁ! COMO ESTÁ?**
Curso intensivo de Português Língua Estrangeira destinado a adultos ou jovens adultos.
Componentes: Livro de Textos, Livro de Atividades (que contém um Caderno de Vocabulário) e arquivos de áudio.

— **VAMOS LÁ COMEÇAR!**
Explicações e exercícios de gramática e vocabulário em 2 volumes (nível elementar).

— **NOVO PORTUGUÊS SEM FRONTEIRAS 1**
Destina-se a alunos principiantes, cobrindo as estruturas gramaticais e lexicais básicas do nível de iniciação e elementar. Inclui arquivos de áudio com as gravações dos diálogos, textos e exercícios de oralidade.

— **GUIA PRÁTICO DOS VERBOS PORTUGUESES**
Manual prático de conjugação verbal. Inclui verbos com preposições e particularidades de conjugação de alguns verbos no Brasil. Contém cerca de 12 000 verbos.

— **GUIA PRÁTICO DE VERBOS COM PREPOSIÇÕES**
Dicionário de verbos com preposições e os seus respectivos significados. Contém mais de 1800 verbos com preposições.

— **PORTUGUÊS ATUAL 1, 2 e 3**
Destina-se ao ensino/aprendizagem de Português Língua Estrangeira, níveis A1/A2, B1/B2 e C1/C2, e pretende ser um livro de apoio, na sala de aula e/ou em trabalho autônomo. Inclui arquivos de áudio.

— **ENTRE NÓS 1 e 2**
Método de Português Língua Estrangeira que contempla os níveis A1, A2, B1 e B2. Cada conjunto de materiais pressupõe entre 100 a 120 horas de trabalho, englobando o trabalho na sala de aula e o estudo autônomo.

— **NA ONDA DO PORTUGUÊS 1, 2 e 3**
Projeto pedagógico destinado ao ensino de Português Língua Estrangeira e Português Língua Segunda, dirigido a jovens alunos, que privilegia uma abordagem comunicativa por competências e tarefas.

— **GRAMÁTICA ATIVA 1 – Versão Portuguesa**
Destina-se ao ensino de Português Língua Estrangeira ou Português Segunda Língua e contém explicações claras e aplicação prática das principais estruturas dos níveis elementar e pré-intermediário – A1, A2 e B1.

EMPRESA PROMOTORA DA LÍNGUA PORTUGUESA

A **Lidel** adquiriu este estatuto através da assinatura de um protocolo com o **Camões – Instituto da Cooperação e da Língua**, que visa destacar um conjunto de entidades que contribuem para a promoção internacional da língua portuguesa.

Edição e Distribuição
Lidel – Edições Técnicas, Lda.
Rua D. Estefânia, 183, r/c Dto. – 1049-057 Lisboa
Tel: +351 213 511 448
lidel@lidel.pt
Projetos de edição: editoriais@lidel.pt
www.lidel.pt

Livraria
Av. Praia da Vitória, 14 A – 1000-247 Lisboa
Tel: +351 213 541 418
livraria@lidel.pt

ISBN edição impressa: 978-972-757-931-0
1.ª edição impressa: abril 2011
2.ª edição atualizada impressa: outubro 2012
Reimpressão de julho 2024

Pré-Impressão: Carlos Mendes
Impressão e acabamento: Cafilesa – Soluções Gráficas, Lda. – Venda do Pinheiro
Depósito Legal: 346914/12

Capa: José Manuel Reis
Ilustrações: Pedro Alves / Re-searcher.com

Arquivos de Áudio:
Vozes: Alzeny Nelo e Sérgio Farias
Execução Técnica: Estúdio Sérgio Farias

Índice

Índice

Unidade

A **Gramática Ativa 1** destina-se ao ensino/aprendizagem de Português Língua Estrangeira (PLE) e Português Segunda Língua (PSL) e contempla as principais estruturas dos níveis elementar e pré-intermediário – **A1**, **A2** e **B1**.

Esta edição da **Gramática Ativa 1** apresenta um *design* moderno e apelativo bem como ilustrações de suporte à compreensão. Inclui vocabulário e expressões típicas do Brasil.

A presente edição da **Gramática Ativa 1** divide-se em 54 unidades de duas páginas cada, contendo explicações gramaticais e respectiva exemplificação à esquerda, página par, e exercícios de aplicação da(s) estrutura(s) apresentada(s) à direita, página ímpar.

A **Gramática Ativa 1** não está orientada para ser um livro de curso de PLE / PSL. Trata-se de material suplementar, a ser usado na sala de aula ou em casa e, como tal, o livro não deverá ser trabalhado do princípio ao fim, seguindo a ordem numérica das unidades; essas devem ser selecionadas e trabalhadas de acordo com as dificuldades do aluno.

A **Gramática Ativa 1** inclui ainda três apêndices – lista de verbos; pronomes pessoais; plural dos substantivos e adjetivos – bem como as soluções dos exercícios.

A versão brasileira da **Gramática Ativa 1** foi adaptada da versão portuguesa pelos professores Lamartine Bião Oberg – Rio de Janeiro, Carmen Thuaudet – São Paulo e Valéria Dellome – Amazonas.

Esta edição inclui ainda arquivos de áudio com a gravação dos exercícios, e respectivas soluções, disponíveis em www.lidel.pt/pt/download-conteudos/, tendo como objetivo o desenvolvimento da autonomia para realização das atividades e avaliação de seus resultados.

Unidade 1

presente do indicativo

verbo ser

Eu **sou** médico.
Eu **não sou** enfermeiro.

Ele é **alto**.
Ele **não é** baixo.

Nós **somos** brasileiros.
Nós **não somos** portugueses.

ser

afirmativa	
eu	**sou**
tu	**és**
você ele ela	**é**
nós	**somos**
vocês eles elas	**são**

negativa	
eu	não **sou**
tu	não **és**
você ele ela	não **é**
nós	não **somos**
vocês eles elas	não **são**

☞ O pronome **você** se usa em todo o Brasil e em Portugal. **O senhor**, **a senhora** (tratamento formal) se usa tanto no Brasil como em Portugal.
O pronome **tu** se utiliza no Português Europeu e no Brasil, em algumas regiões. Deste modo, ainda que apresentado ao longo do livro na conjugação verbal, não é praticado.

- ☐ **nacionalidades** — — Vocês **são** franceses? — Eu **sou** português, mas ele **é** brasileiro.
- ☐ **profissões** — **Sou** professor de português e meu irmão **é** engenheiro civil.
- ☐ **estado civil** — Ela **é** casada, mas ele **é** viúvo. Ele **é** divorciado, mas ela **é** solteira.
- ☐ **origem** (de + substantivo) — — Você **é** do Rio de Janeiro? — Não, **não sou**. **Sou** de São Paulo.
- ☐ **posse** (de + substantivo) — O dicionário **é** do professor.
- ☐ **tempo cronológico**, **horas e datas** — — Que horas **são**? **É** uma hora. — Hoje **é** sábado. Hoje **é** dia 19 de maio.
- ☐ **matéria** (de + substantivo) — A mesa **é** de madeira.
- ☐ **situação geográfica** (sujeito fixo) — Brasília **é** no Brasil. **É** a capital do Brasil.
- ☐ **substantivo** — Eu e a Carla **somos** amigas.
- ☐ **adjetivo** — O João Carlos **é** muito inteligente.
- ☐ **a qualidade natural de uma pessoa** — Eu **sou** um homem. Ela **é** uma mulher.
- ☐ **a qualidade natural de um animal** — O cavalo árabe **é** um ótimo cavalo.
- ☐ **cargo** — Ele **é** diretor da firma.
- ☐ **religião** — **Somos** católicos.
- ☐ **partido político** — Eles **são** socialistas.
- ☐ **expressões impessoais** — **É** importante falar português.

1.1. Complete com **sou / é / somos / são.**

1. ele ______
2. nós ______
3. eu ______
4. vocês ______
5. você ______
6. ela ______
7. elas ______
8. eles ______
9. eu e você ______
10. vocês e elas ______

1.2. Complete com **sou / é / somos / são.**

1. A rosa __é__ uma flor.
2. Eu ______ portuguesa e o João ______ brasileiro.
3. A mala ______ pesada.
4. Estas malas ______ pesadas.
5. Você e a Ana ______ colegas.
6. Que dia ______ hoje?
7. Hoje ______ segunda-feira.
8. Minha avó ______ viúva.
9. Você ______ bom aluno.
10. O Manuel e a mulher ______ advogados.
11. O copo ______ de vidro.
12. A senhora ______ de São Paulo?
13. Eu e o Leonardo ______ estudantes.
14. Lisboa ______ em Portugal.
15. Ela ______ uma moça simpática.

1.3. Faça frases completas com **sou / é / somos / são.**

1. (estes exercícios / muito fáceis) Estes exercícios são muito fáceis.
2. (o futebol / um esporte muito popular) ______
3. (você / não / espanhol) ______
4. (elas / boas alunas) ______
5. (esta casa / moderna) ______
6. (nós / secretárias) ______
7. (o teste / não / difícil) ______
8. (estes CD / da minha irmã) ______
9. (minha escrivaninha / de madeira) ______
10. (aquele suéter / não / caro) ______
11. (você e o Antônio / amigos) ______
12. (eu / magro) ______
13. (a caneta / da Cristina) ______

1.4. Faça frases afirmativas ou negativas.

1. (Lisboa / a capital de Portugal) Lisboa é a capital de Portugal.
2. (eu / alemã) Eu não sou alemã.
3. (o cachorro / um animal selvagem) ______
4. (a gasolina / muito cara) ______
5. (o avião / um meio de transporte rápido) ______
6. (Portugal / um país grande) ______
7. (nós / estrangeiros) ______
8. (hoje / quarta-feira) ______
9. (este prédio / muito alto) ______
10. (o Pará / no Norte do Brasil) ______
11. (meu suéter / de lã) ______
12. (vocês / economistas) ______
13. (esta mala / pesada) ______
14. (você e ele / amigos) ______
15. (o rio Amazonas / no Brasil) ______

presente do indicativo
verbo **estar**

Eu **estou** na escola. Você **está** em casa.

Ela **está** contente. Ele **está** triste.

Hoje **está** muito frio.

Eles **estão** com sono.

estar

eu	**estou**
tu	**estás**
você ele ela	**está**
nós	**estamos**
vocês eles elas	**estão**

☐ **advérbio de lugar**	O dicionário **está** ali.
☐ **em + local** (sujeito móvel)	Meus amigos **estão** no estrangeiro. O Pedro não **está** em Salvador (Bahia). Ele **está** de férias no Pantanal (Mato Grosso). O livro **está** em cima da mesa.
☐ **tempo meteorológico**	**Está** muito calor lá fora.
☐ **adjetivo** (característica temporária)	A sopa **está** quente. Este bolo não **está** muito bom. Hoje **estou** cansado. Eles **estão** sentados à mesa. A janela **está** aberta.
☐ **com + substantivo** (= ter + substantivo)	**Estou** com sede, mas não **estou** com fome.
☐ **cumprimentar**	— Como **está**? — **Estou** bem, obrigado.
☐ **posição**	**Estou** em pé, mas ele **está** sentado.
☐ **certo momento**	**Estamos** na quinta-feira.
☐ **presença / ausência**	Vocês **estão** na aula de português. Ele não **está** na sala de aula.
☐ **morar** (viver)	Eles **estão** no Rio de Janeiro.

2.1. Complete com **estou** / **está** / **estamos** / **estão**.

1. elas ______ 3. ele ______ 5. ela ______ 7. eu ______ 9. eles ______
2. você ______ 4. nós ______ 6. vocês ______ 8. você e ela ______ 10. eu e ele ______

2.2. Complete com **estou** / **está** / **estamos** / **estão**.

1. O tempo ______ bom em Copacabana.
2. Ela ______ em casa, mas os filhos ______ na escola pública.
3. — Como ______ a senhora?
   — ______ bem, obrigada. E o senhor?
4. Eu ______ com frio. Pode fechar a janela, por favor?
5. O dinheiro ______ dentro da carteira.
6. Os livros ______ na pasta.
7. Este bolo ______ ótimo.
8. Eles ______ sentados à mesa.
9. Meus sapatos ______ sujos.
10. O Sr. Matos ______ em Porto Alegre.
11. As lojas ______ abertas aos sábados.
12. Ela ______ muito cansada e ______ com sono.
13. Eu e o Carlos ______ de férias.
14. O trabalho já ______ pronto.
15. O dossiê ainda não ______ pronto.

2.3. Faça frases completas com **estou** / **está** / **estamos** / **estão**.

1. (o médico / no hospital) O médico está no hospital.
2. (hoje / muito calor) ______
3. (meus amigos / na escola) ______
4. (eu / na sala de aula) ______
5. (a sopa / não / muito quente) ______
6. (você / cansado) ______
7. (lá fora / muito frio) ______
8. (o Pedro / deitado / porque / doente) ______
9. (o almoço / pronto) ______
10. (o gato / não / com fome) ______
11. (eu e a Ana / com sono) ______
12. (a D. Graça / não / no escritório) ______
13. (ela / de férias) ______
14. (eles / esperando o ônibus) ______
15. (vocês / não / em casa) ______

Ele **é** de Minas Gerais, mas agora **está** no Rio de Janeiro.

São 10 horas da manhã e o dia já **está** lindo!

ser e estar seguidos de adjetivo

ser + adjetivo

☐ característica geral do sujeito que não precisa ser experimentada para se poder afirmar ou negar esta característica.

A água do mar **é** salgada.
O limão **é** azedo.

estar + adjetivo

☐ característica do sujeito que deve ser experimentada para se poder afirmar ou negar esta característica.

A sopa **está** salgada.
O leite não **está** bom, **está** azedo.

ser + adjetivo

☐ característica que não é resultado de uma ação.

O vestido **é** novo.
Ela **é** loira.
Ele **é** inteligente.

estar + adjetivo

☐ característica que resultou de uma ação.

O vestido **está** rasgado. (porque alguém o rasgou)
Hoje **estou** cansado. (porque trabalhei muito)

3.1. Complete com **ser** ou **estar**.

1. O quadro da sala ________ limpo.
2. O pai ________ em casa.
3. Os prédios ________ altos.
4. O banco ________ fechado.
5. Meus primos ________ do Norte do Brasil.
6. A caneta ________ em cima da mesa.
7. Nosso professor ________ muito simpático.
8. Eu ________ cansada.
9. O João Alfredo ________ doente.
10. Eles ________ no restaurante.
11. Ela não ________ atrasada.
12. O Pedro ________ um rapaz muito inteligente.
13. A sopa ________ boa, mas ________ fria.
14. Minha casa ________ grande.
15. A Ana e o João ________ na Inglaterra.

3.2. Faça frases completas com **ser** ou **estar**.

1. (nós / não / em casa à noite) ________
2. (eu / cansada) ________
3. (minha mulher / professora) ________
4. (o João / com fome) ________
5. (você / atrasado) ________
6. (esta sala / muito escura) ________
7. (eu / não / com sede) ________
8. (ela / de Curitiba) ________
9. (de manhã / muito frio) ________
10. (a Tereza / no estrangeiro) ________
11. (as canetas / em cima da mesa) ________
12. (os bolos de chocolate / sempre / muito doces) ________

3.3. Faça frases completas com **ser** e **estar**.

1. (a janela / larga // fechada)
   A janela é larga.
   A janela está fechada.
2. (o quadro / muito interessante // na parede)
   ____
   ____
3. (as mesas / grandes // sujas)
   ____
   ____
4. (o supermercado / grande // aberto)
   ____
   ____
5. (o empregado / simpático // cansado)
   ____
   ____
6. (ele / inteligente // contente)
   ____
   ____

Unidade 4

estar + gerúndio

Ela **está lendo**.
Ela não **está comendo**.

Está chovendo.
Não **está nevando**.

Eles **estão trabalhando**.
Não **estão conversando**.

gerúndio simples

	-ar	*-er*	*-ir*
infinitivo	fala~~r~~	come~~r~~	abri~~r~~
gerúndio	**fala<u>ndo</u>**	**come<u>ndo</u>**	**abri<u>ndo</u>**

realização prolongada no presente estar + gerúndio

eu	**estou**	**trabalhando** muito
tu	**estás**	**estudando** português
você ele ela	**está**	**lendo** o jornal
nós	**estamos**	**abrindo** a porta
vocês eles elas	**estão**	**tomando** um café

▽
passado ←– – – – – – – – – – – **agora** – – – – – – – – – – – → futuro

◇ Usamos **estar + gerúndio** para descrever uma ação que está acontecendo agora, neste momento.

Podem desligar a televisão. Não **estamos vendo**. (ve~~r~~ + ndo = vendo)

Psiu! As crianças **estão dormindo**. (dormi~~r~~ + ndo = dormindo)

Estou estudando. Não posso ir com vocês. (estuda~~r~~ + ndo = estudando)

(ao telefone) O João não pode atender agora. **Está tomando** banho. (toma~~r~~ + ndo = tomando).

A Ana **está fazendo** o almoço. (faze~~r~~ + ndo = fazendo)

O Pedro **está abrindo** a porta. (abri~~r~~ + ndo = abrindo)

O Carlos **está pondo** o carro na garagem. (pô~~r~~ + ndo = pondo)

4.1. Complete as seguintes frases com os verbos indicados:

brincar	tomar	chover	entender	ver
estudar	beber	fazer	ler	chegar

1. Fale mais baixo! Eles estão estudando.
2. A Ana faz aniversário hoje. A mãe dela ____ um bolo.
3. (no telefone) – Posso falar com o João, por favor?
   — Ele ____ banho. Não pode atender.
4. Pode desligar a televisão. Eu não ____.
5. Pode explicar outra vez? Nós não ____ o exercício.
6. Corram! O trem ____.
7. — Onde está o Fernando?
   — Na cozinha. ____ água.
8. — Posso levar o jornal?
   — Agora não. Eu ____ as notícias.
9. Onde estão as crianças?
   — ____ no jardim.
10. É melhor levar o guarda-chuva. ____.

4.2. O que é que está acontecendo neste momento? Faça frases verdadeiras.

1. (eu / estudar / português) Eu estou estudando português.
2. (eu / fumar) Eu não estou fumando.
3. (eu / ouvir música) ____
4. (hoje / chover) ____
5. (telefone / tocar) ____
6. (eu / ler o jornal) ____
7. (meus colegas / fazer exercícios) ____
8. (eu / conversar) ____
9. (eu / tomar café) ____
10. (eu / comer fruta) ____
11. (eu / pôr o dinheiro no banco) ____

4.3. O que é que eles estão fazendo?

1. tomar sol

____

2. assistir à televisão

____

3. ler um livro

____

4. escrever um e-mail

____

5. andar de bicicleta

____

6. atravessar a rua

____

presente do indicativo

verbos **regulares** em *-ar*

Ela **mora** em São Paulo.

Eles **jogam** tênis aos sábados.

Ele **toma** o café da manhã às 8h.

falar

eu	fal**o**
tu	fal**as**
você ele ela	fal**a**
nós	fal**amos**
vocês eles elas	fal**am**

◇ Usamos o **presente do indicativo** para:

☐ **ações habituais**

Eu me **levanto** sempre às 8h.
Normalmente **almoçamos** às 13h e **jantamos** às 20h30.
O Sr. Ramos **compra** o *Jornal do Brasil* todos os dias.

☐ **constatar um fato**

A Terra **gira** em volta do Sol.
A Ana **fala** inglês muito bem.
As crianças **gostam** muito de chocolate.
No Rio de Janeiro, as lojas **fecham** às 19h.
Ele **trabalha** muito.

☐ **ações num futuro próximo**

Ligo-lhe amanhã.
Mudamos de casa no próximo fim de semana.

5.1. Escreva os seguintes verbos na forma correta:

1. falar / eu ______
2. morar / você ______
3. usar / vocês ______
4. comprar / ele ______
5. almoçar / nós ______
6. trabalhar / eles ______
7. pagar / vocês ______
8. tomar / eles ______
9. ficar / ela ______

5.2. Complete as frases. Use a forma correta dos seguintes verbos:

levantar	fumar	ficar	lecionar	fechar	morar	gostar
começar	lavar	terminar	usar	jogar	tomar	

1. No Brasil, os bancos ______ às 17h para o público.
2. O Leonardo ______ 15 cigarros por dia.
3. Nós ______ num pequeno apartamento.
4. Ela é professora e ______ português num colégio particular.
5. ______ do meu trabalho.
6. Eles ______ futebol todos os domingos.
7. Nunca me ______ tarde.
8. Normalmente nós ______ em casa à noite.
9. Ele ______ o carro nos fins de semana.
10. Meu filho ______ óculos.
11. Ela ______ sempre o ônibus das 8h.
12. O filme ______ às 21h30 e ______ às 23h.

5.3. Complete com os verbos na forma correta.

1. Ela ______ piano muito bem. (tocar)
2. Nós ______ português. (falar)
3. Eu não ______ nos fins de semana. (trabalhar)
4. O Serafim ______ de futebol. (gostar)
5. Eles ______ na universidade. (estudar)
6. O Antônio e a Cristina ______ medicina na PUC. (cursar)
7. Depois do almoço eu ______ sempre um café. (tomar)
8. Quem é que ______ a conta? (pagar)
9. Ele ______ para os pais todos os dias. (ligar)
10. A que horas é que você ______? (jantar)
11. Onde é que vocês se ______ hoje à noite? (encontrar)
12. Ela ______ bem na nova empresa. (ganhar)
13. As crianças ______ no parque todos os domingos. (brincar)

5.4. Faça frases como no exemplo.

	nunca	às vezes	sempre	todos os dias	raramente
tomar café à noite	Pedro				
comprar o jornal de manhã			você		
acordar às 7h		nós			
almoçar em casa					eu
jogar futebol				eles	
jantar fora			vocês		

1. Eu raramente almoço em casa.
2. ______
3. ______
4. ______
5. ______
6. ______

Unidade **6**

presente do indicativo
verbos **regulares** em *-er*

Ele **vive** no Rio de Janeiro.

Eles não **entendem** nada.

No verão, **chove** muito no Rio de Janeiro.

comer

eu	com**o**
tu	com**es**
você ele ela	com**e**
nós	com**emos**
vocês eles elas	com**em**

☞	**1.ª pessoa do singular**
conhe***c***er	**eu conheço**, tu conheces, você conhece…
des***c***er	**eu desço**, tu desces, você desce…
esque***c***er	**eu esqueço**, tu esqueces, você esquece…
aque***c***er	**eu aqueço**, tu aqueces, você aquece…
pare***c***er	**eu pareço**, tu pareces, você parece…
prote***g***er	**eu prote*j*o**, tu proteges, você protege…
er***gu***er	**eu er*g*o**, tu ergues, você ergue…

— **Conhece** a irmã do Pedro?
— Não, não a **conheço**.

Eu **bebo** café de manhã, mas ela **bebe** chá.

O elevador não **desce**. Está quebrado.

No Nordeste do Brasil **chove** pouco.

Ele **vive** em Belém.

As crianças **aprendem** línguas com facilidade.

Eles **escrevem** aos pais todas as semanas.

6.1. Escreva os seguintes verbos na forma correta:

1. escrever / você ______
2. entender / ele ______
3. comer / nós ______
4. conhecer / eu ______
5. beber / você ______
6. resolver / eles ______
7. descer / ela ______
8. aquecer / eu ______
9. viver / eu ______
10. correr / elas ______
11. aprender / vocês ______
12. esquecer / eu ______

6.2. Complete as frases com os verbos na forma correta.

1. No café da manhã, nós ______ (tomar) café com leite e ______ (comer) pão com manteiga.
2. Vocês ______ (aprender) português numa escola de línguas?
3. Ela se ______ (parecer) muito com o pai.
4. Eles ______ (viver) agora no Rio de Janeiro.
5. No inverno, raramente ______ (chover) no Paraná.
6. Quando ele está de férias ______ (escrever) sempre para os amigos.
7. O texto é difícil. Eu não ______ (compreender) nada.
8. Quando o telefone toca, é o filho que ______ (atender).
9. Você sempre ______ (esquecer-se) do aniversário dela.
10. Eu ______ (descer) esta rua para pegar o bonde.
11. Ela não ______ (conhecer) a professora de português.
12. Quem é que ______ (responder) esta pergunta?

6.3. Responda, usando só o verbo da pergunta.

1. — Você come pão com manteiga no café da manhã?
   — Como.
2. — Você bebe café depois do almoço?
   — ______
3. — Você resolve sempre os problemas?
   — ______
4. — Você conhece o diretor da escola?
   — ______
5. — Você aprende línguas com facilidade?
   — ______
6. — Você vive em Manaus?
   — ______
7. — Chove muito no seu país?
   — ______
8. — Você escreve à família quando está em férias?
   — ______
9. — Você atende o telefone?
   — ______
10. — Você entende bem este exercício?
   — ______
11. — Vocês comem doces?
   — Comemos.
12. — Vocês bebem um suco de laranja?
   — ______
13. — Vocês correm todas as manhãs na praia de Copacabana?
   — ______
14. — Vocês vivem fora do Rio de Janeiro?
   — ______
15. — Vocês já conhecem meu irmão Leo?
   — ______
16. — Vocês compreendem o texto da tradução?
   — ______
17. — Vocês descem de elevador?
   — ______
18. — Vocês aprendem bem línguas estrangeiras?
   — ______
19. — Vocês resolvem logo o problema?
   — ______
20. — Vocês recebem muitas cartas diariamente?
   — ______

presente do indicativo
verbos **irregulares** em *-er*

Ela **vê** televisão todas as noites.

Ele **lê** o jornal todos os dias.

Ela **faz** o café da manhã todas as manhãs.

verbos irregulares

	ver	ler	fazer	dizer	trazer	saber	poder	perder	querer	pôr
eu	**vejo**	**leio**	**faço**	**digo**	**trago**	**sei**	**posso**	**perco**	quero	**ponho**
tu	**vês**	**lês**	fazes	dizes	trazes	sabes	podes	perdes	queres	**pões**
você ele ela	**vê**	**lê**	**faz**	**diz**	**traz**	sabe	pode	perde	**quer**	**põe**
nós	vemos	lemos	fazemos	dizemos	trazemos	sabemos	podemos	perdemos	queremos	**pomos**
vocês eles elas	**veem**	**leem**	fazem	dizem	trazem	sabem	podem	perdem	querem	**põem**

Amanhã, **trago**-lhe um presente pelo seu aniversário.

A Ana **põe** sempre os óculos para ver televisão.

Eu **faço** aniversário em abril e o João **faz** em maio.

Não **posso** sair, porque tenho que estudar para o vestibular.

Ele **sabe** falar muitas línguas.

Eles **dizem** que vão chegar amanhã pela TAM.

Meus filhos não **veem** televisão aos domingos.

Às vezes, **perco** o ônibus das 8h e fico esperando meia hora.

— **Querem** mais bolo?
— Eu **quero**, mas ele não **quer**.

— Vocês **sabem** a que horas é o filme?
— Não, não **sabemos**.

— **Pode** me dizer as horas, por favor?
— São 10h15.

— **Lê** bem as legendas do filme, Felipe?
— **Leio**, mas não compreendo tudo.

7.1. Escreva os seguintes verbos na forma correta:

1. saber / eu ______	6. poder / eu ______	11. ver / eu ______	16. pôr / eu ______
2. trazer / ele ______	7. pôr / ela ______	12. ler / você ______	17. fazer / ela ______
3. ver / eles ______	8. ler / vocês ______	13. fazer / eu ______	18. perder / eu ______
4. dizer / eu ______	9. trazer / eu ______	14. ler / eu ______	19. ver / nós ______
5. querer / nós ______	10. querer / ela ______	15. pôr / eles ______	20. ler / nós ______

7.2. Complete as frases com os verbos listados na forma correta.

pôr	fazer	ver	saber	ler	querer

1. — Você pode ______ sair hoje à noite?
   — Hoje à noite não posso ______. Tenho que estudar.
2. Nos fins de semana, eles ______ sempre a revista *Veja*.
3. A Ana e o Pedro ______ aniversário em janeiro.
4. Meu filho está no 1.º ano primário e já ______ ler.
5. Ela usa óculos, porque não ______ bem de longe.
6. — Quem ______ mais café?
   — Eu ______.
7. — Quem é que ______ a mesa?
   — No almoço eu ______; no jantar é a Ana que ______.

7.3. Faça frases com o verbo na forma correta.

1. (ele / querer / outro café) Ele quer outro café.
2. (eu / nunca / ver / televisão) ______
3. (ela / fazer / aniversário / hoje) ______
4. (amanhã / eu / fazer / uma festa / em casa) ______
5. (eu / não / saber / o nome / dela) ______
6. (o Sr. Ramos / ler / o jornal / todos os dias) ______
7. (eu / trazer / um presente / para / a Ana) ______
8. (eu / não / poder / sair / à noite) ______
9. (eles / trazer / os livros / na pasta) ______
10. (eu / ler / o jornal / todos os dias) ______
11. (ela / saber / falar / muitas / línguas) ______
12. (a empregada / trazer / o pão / de manhã) ______
13. (hoje / eu / querer / ficar / em casa) ______
14. (ele / ver / mal / de longe) ______
15. (eu / já / ler / o jornal / em português) ______
16. (eu / nunca / perder / o guarda-chuva) ______

presente do indicativo
verbos **regulares** em *-ir*

Ela **parte** amanhã para São Luís.

Eles **preferem** ir ao cinema.

Ele não **consegue** estudar com barulho.

abrir

eu	abr**o**
tu	abr**es**
você ele ela	abr**e**
nós	abr**imos**
vocês eles elas	abr**em**

☞	1.ª pessoa do singular
v**e**stir	**eu v*i*sto**, tu vestes, você veste…
s**e**rvir	**eu s*i*rvo**, tu serves, você serve…
s**e**ntir	**eu s*i*nto**, tu sentes, você sente…
pref**e**rir	**eu pref*i*ro**, tu preferes, você prefere…
cons***egu***ir	**eu cons*igo***, tu consegues, você consegue…
s***egu***ir	**eu s*igo***, tu segues, você segue…
corri***g***ir	**eu corri*j*o**, tu corriges, você corrige…
diri***g***ir	**eu diri*j*o**, tu diriges, você dirige…

☞ Verbos terminados em ***-uzir***, na ***3.ª pessoa do singular,*** terminam em ***z***.

Você nunca **admite** seus erros.
Partimos para Cuiabá na próxima semana.
Quando estou com frio, **visto** um suéter.
O professor **corrige** os exercícios amanhã.
As lojas **abrem** às 10h.

— Você se **sente** bem?
— Não, eu me **sinto** mal.

Sirvo caipirinha como aperitivo.
O professor **resume** a matéria no fim da aula.
Não **permitem** a entrada de animais na loja.
Aos sábados, eles se **reúnem** todos em casa da Ana.
Ele **dirige** muito bem.
Nós **traduzimos** o texto para português.
Não **consigo** abrir esta janela.

8.1. Escreva os seguintes verbos na forma correta:

1. abrir / eles ____	5. corrigir / eu ____	9. sentir / eu ____	13. dirigir / eu ____
2. vestir / eu ____	6. decidir / elas ____	10. traduzir / ele ____	14. discutir / eles ____
3. dividir / nós ____	7. conseguir / eu ____	11. partir / ele ____	15. produzir / nós ____
4. mentir / eu ____	8. servir / nós ____	12. preferir / eu ____	16. permitir / eu ____

8.2. Faça frases com o verbo na forma correta.

1. (eu / nunca / mentir) Eu nunca minto.
2. (o garçon / servir / o café / à mesa) ____
3. (ela / traduzir / romances / para o inglês) ____
4. (o senhor / seguir / sempre / em frente) ____
5. (os bancos / abrir / às 8h30) ____
6. (ela / dividir / o bolo / com / os irmãos) ____
7. (eu / preferir / ficar / em casa) ____
8. (o avião / partir / às 17h) ____
9. (você / nunca / admitir / seus erros) ____
10. (eu / não / conseguir / estudar / com barulho) ____
11. (no início da aula / o professor / introduzir / a matéria nova) ____
12. (eu / hoje / sentir-se / muito cansado) ____

8.3. Responda, usando só o verbo da pergunta.

1. — Você se sente bem?
— Sinto.
2. — Você consegue estudar à noite?
— ____
3. — Você abre a porta?
— ____
4. — Você segue as instruções?
— ____
5. — Você mente muito?
— ____
6. — O senhor corrige o meu exercício?
— ____
7. — O senhor me serve um café, por favor?
— ____
8. — Você veste agasalhos no inverno?
— ____
9. — Você prefere ir ao cinema?
— ____
10. — Dirige a orquestra, maestro?
— ____
11. — Vocês se sentem bem?
— Sentimos.
12. — Vocês discutem a proposta amanhã?
— ____
13. — Vocês decidem até ao fim da semana?
— ____
14. — Vocês admitem executivos?
— ____
15. — Vocês partem hoje para Búzios?
— ____
16. — Vocês conseguem estudar com barulho?
— ____
17. — Vocês traduzem o texto?
— ____
18. — Vocês preferem ficar em casa?
— ____
19. — Vocês dividem o apartamento?
— ____
20. — Vocês permitem animais neste local?
— ____

Unidade **9**

presente do indicativo
verbos **irregulares** em *-ir*; verbos em *-air* e *-uir*

À tarde, eles **vêm** da escola juntos.

Ela **vai** pelas escadas. Eles **sobem** de elevador.

O palhaço **cai** e as crianças **riem**.

verbos irregulares

	pedir	ouvir	dormir	subir	fugir	rir	ir	vir
eu	**peço**	**ouço**	**durmo**	subo	fujo	**rio**	**vou**	**venho**
tu	pedes	ouves	dormes	**sobes**	**foges**	**ris**	**vais**	**vens**
você ele ela	pede	ouve	dorme	**sobe**	**foge**	**ri**	**vai**	**vem**
nós	pedimos	ouvimos	dormimos	subimos	fugimos	rimos	**vamos**	**vimos**
vocês eles elas	pedem	ouvem	dormem	**sobem**	**fogem**	**riem**	**vão**	**vêm**

Durmo muito bem. Nunca **ouço** barulho.

— Já é tarde demais, Pedro.
— **Peço** desculpa pelo atraso.

Ela **sobe** sempre as escadas. Nunca **vai** de elevador.

Você **foge** dos cachorros. Tem medo?
Você fica muito bonita quando **ri**.
Eu **venho** já. **Vou** só ali comprar o jornal.

verbos em *-air*

	sair	cair
eu	**saio**	**caio**
tu	**sais**	**cais**
você ele ela	**sai**	**cai**
nós	**saímos**	**caímos**
vocês eles elas	saem	caem

verbos em *-uir*

	distribuir	construir
eu	distribuo	construo
tu	**distribuis**	**constróis**
você ele ela	**distribui**	**constrói**
nós	**distribuímos**	**construímos**
vocês eles elas	distribuem	**constroem**

☞ Os verbos ***construir*** e ***destruir*** mudam o ***u*** para ***o***, na 2.ª e 3.ª pessoas do singular e na 3.ª pessoa do plural.

— Cuidado! Você ainda **cai** daí.
— Não **caio** nada!

Nós **saímos** da escola às 13h.
À noite eles nunca **saem**.

O carteiro **distribui** o correio.
Nós **substituímos** os filtros de ar regularmente.
A natureza **constrói** e o homem **destrói**.

9.1. Escreva os seguintes verbos na forma correta:

1. subir / eles ______	5. dormir / eu ______	9. fugir / eu ______	13. ir / eu ______
2. pedir / eu ______	6. sair / elas ______	10. rir / você ______	14. vir / eles ______
3. fugir / nós ______	7. rir / eu ______	11. subir / ele ______	15. ir / nós ______
4. ouvir / eu ______	8. cair / nós ______	12. ir / vocês ______	16. vir / eu ______

9.2. Complete as frases com o verbo na forma correta.

1. Quando o portão está aberto, o cachorro ______ (fugir) logo para a rua.
2. Todos ______ (rir) das piadas que ele conta.
3. Aos sábados, eu ______ (dormir) sempre até mais tarde.
4. Eles ______ (vir) conosco até em casa.
5. Eu ______ (ir) ao concerto com a Rita.
6. — Senhoras e senhores, ______ (pedir) a atenção de todos, por favor.
7. Ele ______ (subir) nas árvores como um macaco!
8. — Fale mais alto. Não ______ (ouvir) nada!
9. — A que horas é que você ______ (sair) de casa?
10. No outono, as folhas ______ (cair) e as árvores ficam nuas.

9.3. Complete as seguintes frases com os verbos listados:

atribuir	constituir	contribuir	construir
destruir	distribuir	retribuir	substituir

1. Quando um professor está doente, há sempre outro que o ______.
2. Na noite de Natal, as pessoas ______ os presentes.
3. A fábrica ______ peças para automóveis.
4. Nós ______ sempre com a LBA (Legião Brasileira de Assistência).
5. Todos os anos, a escola ______ um prêmio ao melhor aluno.
6. Estas crianças não têm cuidado nenhum com os brinquedos; ______ tudo!
7. Agradeço e ______ os votos de Boas Festas.
8. Meu filho ______ a exceção à regra: não gosta de chocolate!
9. Você viu as manchetes dos jornais? "Chuvas torrenciais ______ culturas no Sul do país."
10. O André ______ folhetos à porta do metrô.
11. Com o dinheiro que ganha, ______ para ajudar os pais a pagar a universidade.

estou fazendo e *faço*

— O que é que a Ana **está fazendo**?
— A Ana **está jogando** tênis.

— O que é que ela **faz** todos os sábados?
— Ela **joga** tênis todos os sábados.

Agora não posso sair. **Estou trabalhando.**
Trabalho todos os dias das 9h às 18h.
O João **está tomando** o café da manhã neste momento.
O Pedro **toma** o café da manhã todas as manhãs.
É melhor levar o guarda-chuva. **Está chovendo.**
No inverno, **chove** muito.
Pode desligar o rádio. Não **estou ouvindo**.
Normalmente não **ouço** rádio à tarde.
Estudamos português todos os dias.

— O que é que **estão fazendo**?
— **Estamos estudando.**

— A Ana **está jogando** futebol?
— **Não, não está. Está jogando** tênis

— A Ana **joga** futebol?
— **Não, não joga. Joga** tênis.

◊ Usamos os seguintes verbos na forma simples:
querer / gostar / precisar / preferir / saber / esquecer-se / lembrar-se / ir / vir

— **Quer** um café?
— **Gosto** muito de café mas agora não **quero**, obrigado.

— **Sabe** o nome dela?
— Nunca **sei** o nome dela. Eu **me esqueço** sempre.

— **Lembra-se** do nosso professor?
— Claro que **me lembro** muito bem.

Agora **prefiro** tomar chá.

Preciso comprar um dicionário.

Vou para casa agora.

Venho sempre de metrô.

10.1. Responda às seguintes perguntas:

1. Sou empregada doméstica.	2. Somos jornalistas.	3. Sou professor.	4. Sou secretária.	5. Somos estudantes.

1. O que é que ela faz todos os dias?
(arrumar / a casa) Ela arruma a casa todos os dias.
O que é que ela está fazendo agora?
(lavar / o chão) Agora está lavando o chão.
Ela está fazendo as camas?
Não, não está.
2. O que é que eles fazem?
(fazer / reportagens) ______
O que é que eles estão fazendo agora?
(entrevistar / um político) ______
Eles estão escrevendo um artigo?
Não, ______
3. O que é que ele faz?
(ensinar / português) ______
O que é que ele está fazendo agora?
(corrigir / exercícios) ______
Ele está explicando os exercícios?
Sim, ______
4. O que é que ela faz?
(enviar / e-mails) ______
O que é que ela está fazendo agora?
(atender / o telefone) ______
Ela está falando com o chefe?
Não, ______
5. O que é que eles fazem?
(estudar / línguas) ______
O que é que eles estão fazendo agora?
(fazer / exercícios) ______
Eles estão estudando?
Sim, ______

10.2. Complete as frases com o verbo na forma correta.

1. Desculpe, você fala ______ português? (falar)
2. Eles não ______ muito televisão. (ver)
3. Agora eu ______ o almoço. (preparar)
4. De manhã ela ______ café com leite e ______ pão com manteiga. (tomar/comer)
5. Eles ______ futebol. (jogar)
6. Hoje é domingo e eles ______ futebol. (jogar)
7. O que é que você ______ agora? (fazer)
8. Vocês ______ de cinema? (gostar)
9. Pode desligar o rádio. Eu não ______. (ouvir)
10. Ele não pode atender o telefone. ______ banho. (tomar)

Unidade **11**

presente do indicativo
verbo **ter**

Eles **têm** um apartamento em Belo Horizonte.

Ele **tem** 20 anos.

Ela **tem** frio.

Eles **têm** muitos colegas na escola.

ter	
eu	**tenho**
tu	**tens**
você ele ela	**tem**
nós	**temos**
vocês eles elas	**têm**

☐ **falar de coisas que (não) possuímos**

A Tânia **tem** um computador portátil.
O Raul não **tem** carro.

☐ **falar sobre a família**

Tenho dois irmãos.

☐ **dizer a idade**

Meu irmão **tem** 18 anos e minha irmã **tem** 15 anos.
Eu **tenho** 21 anos.

☐ **descrever pessoas ou coisas**

A Sônia **tem** olhos azuis.
Nossa casa **tem** 6 cômodos e **tem** um grande quintal.

☐ **falar de sensações**
(ter + substantivo = estar com + substantivo)

Ela **tem** medo de ratos.
Nunca **tenho** fome de manhã.

— O que é que você **tem**?
— **Tenho** calor. Abra a janela, por favor.

☐ **constatar um fato**

O Sr. Ramos **tem** muito trabalho no escritório.

11.1. Complete com o verbo **ter** na forma correta.

1. eu ______ 4. vocês ______ 7. ela ______ 10. eu e a Ana ______
2. ele ______ 5. elas ______ 8. eles ______ 11. você e o João ______
3. nós ______ 6. você ______ 9. o senhor ______ 12. a Ana e o João ______

11.2. Complete com o verbo **ter** na forma correta.

1. Eles ______ 3 filhos.
2. Nós ______ um apartamento em Salvador.
3. Ele ______ um carro novinho em folha.
4. Quem é que ______ uma caneta vermelha?
5. Eu ______ uma festa no sábado.
6. Hoje não ______ tempo, mas amanhã falo com vocês.
7. Eles ______ sempre muito trabalho da escola e, às vezes, ______ dificuldades nos exercícios.
8. — Quantos anos você ______?
   — ______ 15 anos.
9. Ela ______ muitos problemas com os filhos. Às vezes, não ______ paciência.
10. Estou com muito calor e ______ muita sede.

11.3. Responda com o verbo **ter** na forma correta.

1. — Você tem uma caneta preta? (não / ela)
   — Não, não tenho, mas ela tem.
2. — Você tem irmãos? (sim / dois)
   — Tenho. Tenho dois irmãos.
3. — Vocês têm um dicionário? (não / ele)
   — ______
4. — A senhora tem filhos? (sim / três)
   — ______
5. — Você tem um apartamento em Copacabana? (não / eles)
   — ______
6. — Ela tem irmãos? (sim / quatro)
   — ______
7. — Você tem uma borracha? (não / a Tereza)
   — ______
8. — Vocês têm carro? (sim / dois)
   — ______
9. — O senhor tem um jornal? (não / ela)
   — ______
10. — Você e a Valéria têm amigos? (sim / muitos)
   — ______
11. — Você tem um lápis? (não / Pedro)
   — ______
12. — Vocês têm frio? (não / ele)
   — ______

Unidade 12

pretérito perfeito do indicativo

verbos **ser** / **ir** / **estar** / **ter**

Ontem, à noite, eles **foram** ao cinema.

O filme **foi** bom.

No fim de semana passado, eu **fui** à praia.

No domingo passado, eu **estive** com meus amigos.

Ontem, eu **tive** muito trabalho no escritório.

	ser	ir	estar	ter
eu	f*u*i	f*u*i	est*i*ve	t*i*ve
tu	foste	foste	estiveste	tiveste
você ele ela	f*o*i	f*o*i	est*e*ve	t*e*ve
nós	fomos	fomos	estivemos	tivemos
vocês eles elas	foram	foram	estiveram	tiveram

Na semana passada, **estive** doente. **Tive** gripe.

Tenho aulas todos os dias, mas ontem não **tive** porque o professor **foi** ao médico.

Ontem, **fomos** ao aniversário do Pedro. A festa **foi** ótima.

Ele **esteve** uma semana em Parati. **Foi** a negócios. **Foi** uma viagem muito cansativa.

Agora **estou** bem, não **tenho** mais febre.

12.1. Complete com os seguintes verbos no **pretérito perfeito simples**:

1. ser / eu ____________
2. ter / você ____________
3. estar / ele ____________
4. ir / ela ____________
5. ser / ele ____________
6. ter / eu ____________
7. estar / eu ____________
8. ter / o senhor ____________
9. ser / nós ____________
10. ir / eu ____________
11. ser / eles ____________
12. ter / nós ____________
13. estar / você ____________
14. ir / você ____________
15. ter / ela ____________
16. ser / vocês ____________
17. estar / nós ____________
18. ter / eles ____________
19. estar / nós ____________
20. ser / você ____________
21. ir / nós ____________
22. ter / vocês ____________
23. ir / o senhor ____________
24. estar / eles ____________

12.2. Responda com os verbos indicados no **pretérito perfeito simples**. Siga o exemplo.

ser

1. — A viagem **foi** longa?
   — Foi ____________.
2. — As férias foram divertidas?
   — ____________.
3. — O filme não foi bom?
   — ________, ____________.
4. — O espetáculo foi interessante?
   — ____________.
5. — O exame não foi difícil?
   — ________, ____________.
6. — Você foi bom aluno na escola?
   — ____________.

ter

7. — O senhor não **teve** muito trabalho?
   — Não, não tive ____________.
8. — Vocês tiveram dificuldades com o exercício?
   — ____________.
9. — Você teve problemas no banco?
   — ____________.
10. — O João teve boa nota no teste?
    — ____________.
11. — Teve aulas ontem?
    — ____________.
12. — Não teve frio de noite?
    — ________, ____________.

ir

13. — Vocês **foram** à escola?
    — Fomos ____________.
14. — O senhor foi à reunião?
    — ____________.
15. — Você foi à praia?
    — ____________.
16. — Os senhores foram a Petrópolis?
    — ____________.
17. — O Pedro não foi para casa?
    — ________, ____________.
18. — Você foi ao cinema?
    — ____________.
19. — Vocês não foram ao supermercado?
    — ________, ____________.

estar

20. — Vocês não **estiveram** em casa ontem?
    — Não, não estivemos.
21. — Ele esteve no escritório?
    — ____________.
22. — Você esteve na festa de Pedro?
    — ____________.
23. — O senhor esteve em Terezópolis?
    — ____________.
24. — Você esteve doente?
    — ____________.
25. — A senhora não esteve na reunião?
    — ________, ____________.
26. — Estiveram com eles?
    — ____________.

12.3. Escreva frases sobre o **passado**.

1. Ele vai de carro para o trabalho.
   Ontem, ____________.
2. Vou ao supermercado.
   Hoje de manhã, ____________.
3. Vamos ao cinema.
   Ontem, à noite, ____________.
4. Tenho um teste logo à tarde.
   Ontem, à tarde, ____________.
5. Ela está doente.
   Na semana passada, também ____________.
6. Estou em casa hoje à noite.
   Ontem, também ____________.
7. O Ricardo é um bom aluno.
   O irmão dele também ____________ na escola.
8. Eles agora estão em Salvador.
   No mês passado, ____________ em Maceió.
9. Estes exercícios são fáceis.
   Os de ontem ____________ mais difíceis.
10. A Ana Maria e o Thiago vão a uma festa.
    No sábado passado, também ____________.

Unidade 13 pretérito perfeito do indicativo
verbos **regulares** em *-ar*, *-er* e *-ir*

Ontem, **trabalhei** das nove às seis.

Na semana passada, ela **escreveu** um artigo muito interessante.

Ontem, à tarde, ele se **senti**
mal e foi para casa.

	falar	comer	abrir
eu	fal***ei***	com***i***	abr***i***
tu	fal***aste***	com***este***	abr***iste***
você ele ela	fal***ou***	com***eu***	abr***iu***
nós	fal***amos***	com***emos***	abr***imos***
vocês eles elas	fal***aram***	com***eram***	abr***iram***

☞	1.ª pessoa do singular
come*ç*ar	**eu** come**c**ei, tu começaste, você começou…
fi*c*ar	**eu** fi***qu***ei, tu ficaste, você ficou…
pa*g*ar	**eu** pa***gu***ei, tu pagaste, você pagou…

Ontem, à noite, **ficamos** em casa.

Comi tantos chocolates que **fiquei** mal disposto.

O ônibus para Curitiba já **partiu**.

A Marta **nasceu** em São Luís e sempre **morou** lá.

No jantar, **comeram** carne e **beberam** vinho tinto.

13.1. Complete com os seguintes verbos no **pretérito perfeito simples**:

1. comprar / ele ________ 4. partir / eles ________ 7. ficar / eu ________ 10. perder / vocês ________
2. dormir / você ________ 5. nascer / ele ________ 8. comer / nós ________ 11. começar / eu ________
3. falar / nós ________ 6. pagar / eu ________ 9. conseguir / você ________ 12. abrir / você ________

13.2. Responda às seguintes perguntas usando só o verbo.

1. Você **falou** com ele? Falei.
2. Você **ouviu** as notícias? ________.
3. **Compraram** os bilhetes? ________.
4. Você **trabalhou** muito? ________.
5. **Dormiu** bem? ________.
6. **Pagou** as contas? ________.
7. **Perderam** os documentos? ________.
8. Você **tomou** o café da manhã? ________.
9. **Encontraram** a rua? ________.
10. Você **leu** o jornal? ________.
11. **Ficou** em casa ontem? ________.

13.3. O que é que a Ana fez no fim de semana passado?

	sábado	domingo
De manhã	acordar às 10h	
	tomar banho de chuveiro	
	tomar o café da manhã às 11h	
	ir ao supermercado	dormir até o meio-dia
De tarde		
		arrumar a casa
	ler o jornal	
		escrever aos amigos
	ouvir música	
		ligar para a avó
De noite	jantar fora	ficar em casa
	ir ao cinema com os amigos	
		ir para a cama cedo
	voltar para casa à meia-noite	

No sábado de manhã, a Ana acordou às 10h. ________________

No domingo, ________________

pretérito perfeito do indicativo

verbos **irregulares**; verbos em *-air*

verbos irregulares

	dizer	trazer	fazer	querer	ver	vir	dar	saber	pôr	poder
eu	**disse**	**trouxe**	**fiz**	**quis**	**vi**	**vim**	**dei**	**soube**	**pus**	**pude**
tu	disseste	trouxeste	fizeste	quiseste	viste	vieste	deste	soubeste	puseste	pudeste
você ele ela	**disse**	**trouxe**	**fez**	**quis**	**viu**	**veio**	**deu**	**soube**	**pôs**	**pôde**
nós	**dissemos**	**trouxemos**	**fizemos**	**quisemos**	**vimos**	**viemos**	**demos**	**soubemos**	**pusemos**	**pudemos**
vocês eles elas	**disseram**	**trouxeram**	**fizeram**	**quiseram**	**viram**	**vieram**	**deram**	**souberam**	**puseram**	**puderam**

verbos em *-air*

	cair	sair
eu	ca***í***	sa***í***
tu	ca*í*ste	sa*í*ste
você ele ela	caiu	saiu
nós	ca***í***mos	sa***í***mos
vocês eles elas	ca***í***ram	sa***í***ram

O Paulo **fez** aniversário no fim de semana passado. Os amigos lhe **deram** os parabéns e lhe **trouxeram** presentes.

— O que é que **fez** ontem à noite?
— **Viu** um filme na televisão?

Ele nunca **quis** estudar línguas.

Puseram os casacos e **saíram**.

Ontem, não **pude** ir com vocês, porque tinha que estudar.

— O que é que ele **disse**?
— **Disse** que estava muito cansado.

Minha mãe nunca **soube** falar inglês.

Ontem, à noite, não **saí**. Fiquei em casa.

14.1. Complete com os seguintes verbos no **pretérito perfeito simples**:

1. pôr / eu ______	5. fazer / ele ______	9. saber / elas ______	13. vir / você ______
2. poder / você ______	6. querer / você ______	10. ver / nós ______	14. fazer / eu ______
3. dar / ela ______	7. vir / eu ______	11. trazer / elas ______	15. dar / nós ______
4. ver / eu ______	8. trazer / você ______	12. pôr / ele ______	16. poder / eu ______

14.2. Complete com os verbos no **pretérito perfeito simples.**

1. Meus vizinhos ______ muito barulho ontem à noite. (fazer)
2. O Ricardo não ______ ir ao cinema. (querer)
3. Ela ______ ontem e ______ presente para todos. (vir / trazer)
4. Ele ______ os óculos para ler o jornal. (pôr)
5. Eu não ______ ir com vocês à festa. (poder)
6. Ontem nós ______ o professor no bar do Manoel. (ver)
7. O que é que vocês ______ no sábado passado? (fazer)
8. O João Carlos e a Sônia ______ muito tarde para casa. (vir)
9. Ela ______ muito trabalho aos pais. (dar)
10. Você ______ televisão ontem à noite? (ver)
11. Eles não ______ explicar o que aconteceu. (saber)
12. Ele me ______, mas eu não o ______. (ver)

14.3. Faça frases com os verbos no **pretérito perfeito simples.**

1. (ele / **vir** tarde para casa) Ele veio tarde para casa.
2. (eles / **trazer** presentes para todos) ______
3. (eu / não **poder** ir ao cinema) ______
4. (nós / **ver** um filme na TV Globo) ______
5. (ninguém / **fazer** os exercícios) ______
6. (vocês / **saber** o que aconteceu?) ______
7. (meus amigos / **dar** uma festa no sábado) ______
8. (ela / **querer** ficar em casa) ______
9. (eles / **pôr** os casacos e **sair**) ______
10. (o que é que você / **fazer** ontem?) ______
11. (vocês / **trazer** os livros?) ______
12. (eu / não **ver** o acidente na avenida) ______
13. (o Sérgio / não **poder** ir ao futebol) ______
14. (quantos abraços / a Ana **dar** no pai?) ______
15. (eu / **vir** de carro para a escola) ______

conjugação pronominal reflexiva; colocação do pronome

Ele **se levanta** às 8h.

Eles **se encontram** às 10h na lanchonete.

Ela **se chama** Luciana.

conjugação pronominal reflexiva

	levantar-se
eu	***me* levanto**
tu	***te* levantas**
você ele ela	***se* levanta**
nós	***nos* levantamos**
vocês eles elas	***se* levantam**

pronomes reflexivos

me
te
se
nos
se

verbos reflexivos

levantar-se
queixar-se
sentar-se
chamar-se
lavar-se
vestir-se
lembrar-se
deitar-se

☐ **pronome *antes* do verbo:**

Não ***me*** levanto cedo.

Nunca ***se*** deita tarde.

Também ***nos*** sentamos aqui.

Como (é que) ***se*** chama?

Já ***se*** lavaram?

Ainda não ***me*** vesti.

Enquanto ***se*** lava, canta.

Todos ***se*** lembram bem dela.

Ninguém ***se*** deitou tarde ontem.

Ontem ***me*** esqueci do guarda-chuva na escola.

— Vocês ***se*** deitam muito tarde?
— Não, não ***nos*** deitamos tarde.

Eles já ***se*** encontraram uma vez.

Nunca ***me*** lembro do seu número de telefone.

☐ **pronome *depois* do verbo:**

• O período começa pelo verbo

Levanto-***me*** cedo.

• Imperativo

Sente-***se***, por favor.

• Com expressões impessoais + infinitivo

É preciso alimentar-***se*** bem.

15.1. Coloque corretamente o **pronome**.

1. Eu não _me_ levanto ______ tarde.
2. Por favor, ______ sente _-se_ aqui, D. Maria.
3. Cristina, ______ vista ______ rápido, por favor.
4. À tarde, eles ______ encontram ______ sempre no bar do Luís.
5. Ninguém ______ esqueceu ______ do guarda-chuva?
6. Como ______ chama ______ a professora?
7. É preciso ______ inscrever ______ no curso.
8. Vocês ______ deitam ______ muito tarde?
9. Maria, ______ comporte ______ direito!
10. É necessário ______ vacinar ______ antes de viajar.

15.2. Responda com o verbo da pergunta.

1. — Eu **me levanto** às 7h. E você?
   — Eu também ______ às 7h.

2. — A que horas é que **nos encontramos**?
   — Nós ______ às 11h no bar.

3. — Onde é que **nos sentamos**?
   — Você ______ aí e eu ______ aqui.

4. — Como é que **se chama** a irmã dela?
   — Ela ______ Ana Tavares.

5. — Vocês **se deitam** muito tarde?
   — Não, nós ______ sempre cedo.

6. — Vocês **se lembram** da Ana?
   — Nós ______ muito bem.

7. — Você **se esqueceu** de mim?
   — Não, não ______.

8. — Já **se lavaram**, meninas?
   — Ainda não ______.

9. — **Lembra-se** a que horas é o jogo no Maracanã?
   — Não, não ______.

10. — Ontem vocês **se levantaram** cedo?
    — Eu ______ às 8h e ela ______ às 8h30.

pretérito imperfeito do indicativo
aspecto **durativo** e **frequentativo**

Quando **era** pequena,
brincava sempre com bonecas.

Antigamente **viviam** no campo.

	falar	comer	abrir
eu	fal***ava***	com***ia***	abr***ia***
tu	fal***avas***	com***ias***	abr***ias***
você ele ela	fal***ava***	com***ia***	abr***ia***
nós	fal***ávamos***	com***íamos***	abr***íamos***
vocês eles elas	fal***avam***	com***iam***	abr***iam***

	ser	ter	vir	pôr
eu	**era**	**tinha**	**vinha**	**punha**
tu	**eras**	**tinhas**	**vinhas**	**punhas**
você ele ela	**era**	**tinha**	**vinha**	**punha**
nós	**éramos**	**tínhamos**	**vínhamos**	**púnhamos**
vocês eles elas	**eram**	**tinham**	**vinham**	**punham**

☐ **aspecto durativo**

Usamos o **imperfeito** para **descrever** ou **narrar** acontecimentos que decorreram no passado, expressando continuidade e duração:

Antigamente ***morava*** numa casa.

☐ **aspecto frequentativo**

Usamos o **imperfeito** para falar de **ações habituais** e **repetidas** no passado:

Depois da escola, ***faziam*** sempre as tarefas de casa.

16.1. Complete com os seguintes verbos no **pretérito imperfeito**:

1. ser / eu ______
2. ficar / ela ______
3. pôr / você ______
4. andar / você ______
5. comer / nós ______
6. ter / ele ______
7. ler / eles ______
8. ver / eles ______
9. ir / elas ______
10. ouvir / você ______
11. fazer / vocês ______
12. vir / eu ______
13. estar / ele ______
14. pedir / nós ______
15. querer / ela ______
16. levantar-se / eu ______
17. escrever / você ______
18. ajudar / você ______
19. ir / nós ______
20. vir / vocês ______
21. ser / você ______

16.2. O que é que o Pedro **fazia** quando **estava** no colégio?
Faça frases com os verbos no **pretérito imperfeito**.

1. (**levantar-se** às 6h da manhã) Ele se levantava às 6h da manhã.
2. (**fazer** a cama) ______
3. (**arrumar** a roupa) ______
4. (**tomar** banho de chuveiro) ______
5. (**descer** até ao primeiro andar para tomar o café da manhã) ______
6. (**comer** em silêncio) ______
7. (**assistir** à missa das 7h) ______
8. (**começar** as aulas às 8h) ______
9. (à tarde **fazer** ginástica) ______
10. (das 17h às 18h **estudar** na biblioteca do colégio) ______
11. (às 19h **jantar** no refeitório do colégio interno) ______
12. (depois do jantar **conversar** com os amigos e **ver** televisão) ______
13. (**ir** dormir lá pelas 21h) ______

16.3. Complete com os verbos no **pretérito imperfeito**.

1. Quando eles ______ (ser) crianças, ______ (viver) fora da cidade.
2. Por isso, ______ (levantar-se) muito cedo para ir para a escola.
3. ______ (sair) de casa às 7h e ______ (ir) de ônibus até à cidade.
4. Na escola, ______ (ter) aulas das 8h até às 13h.
5. ______ (voltar) para casa, ______ (almoçar) e ______ (ir) fazer os deveres de casa.
6. Depois, ______ (brincar) com os amigos no jardim.
7. À noite, ______ (jantar) cedo e em seguida ______ (deitar-se).

costumar (imperfeito) + infinitivo

Ele **costumava ir** a pé para o trabalho; agora vai de carro.

Eu **costumava usar** óculos; agora uso lentes de contato.

ação habitual no passado

	costumar (imperfeito) + infinitivo	
eu	**costumava**	
tu	costumavas	
você ele ela	**costumava**	**ler** **trabalhar** **viajar**
nós	**costumávamos**	
vocês eles elas	**costumavam**	

ação habitual

no passado	no presente
Costumávamos viajar muito;	*agora* **viajamos** pouco.
Quando era jovem, **costumava viver** na casa dos pais;	*agora* **vive** sozinho.
Às sextas-feiras à noite, **costumava ficar** em casa;	*agora* **saio** sempre.
Naquele tempo, **costumava haver** pouco trânsito;	*agora* **há** mais.
Quando morava em São Paulo, **costumava andar** de carro;	*agora* moro em Campo Alegre e **ando** a pé.

17.1. Faça frases com o verbo no **pretérito imperfeito** e no **presente do indicativo**.

1. (eles) levantar-se / cedo – agora / tarde Costumavam se levantar cedo; agora se levantam tarde.
2. (eu) trabalhar / num escritório – agora / num banco
3. Aos domingos / (eles) / ficar / em casa – agora / ir / ao cinema
4. (nós) tirar férias / em julho – agora / em dezembro
5. (ele) ser / muito gordo – agora / magro
6. A Cristina / estudar / pouco – agora / muito
7. O Sr. Machado / chegar atrasado – agora / na hora
8. (eu) / praticar esporte – agora / não fazer nada
9. Aos sábados / (ela) ir à feira – agora / ao supermercado
10. As crianças / brincar em casa – agora / no parque
11. O Cristóvão / viver com os pais – agora / sozinho

17.2. Faça frases com o verbo no **pretérito imperfeito**.

1. máquinas de lavar // lavar tudo à mão
   Antigamente não havia máquinas de lavar.
   As pessoas costumavam lavar tudo à mão.
2. aviões // viajar de trem
3. carros // andar mais a pé
4. telefones // escrever cartas
5. televisão // conversar mais
6. cinema // ir ao teatro

17.3. O que é que eles **costumavam fazer**, quando moravam no campo?

1. (levantar-se cedo) Costumavam se levantar cedo.
2. (a mãe / fazer compras / no armazém do bairro)
3. (as crianças / brincar / na rua)
4. (à tarde / (eles) / andar de bicicleta)
5. (aos domingos / (eles) / fazer um piquenique)

Unidade 18

pretérito imperfeito do indicativo
idade e horas; ações simultâneas

◇ Usamos o **pretérito imperfeito** para indicar a **idade** e as **horas** no **passado**.

idade e horas no passado

Tinha 4 anos quando fui ao cinema pela primeira vez.

Era meia-noite quando a festa acabou.

◇ Usamos o **pretérito imperfeito** para referir **ações simultâneas** no **passado**.

ações simultâneas no passado

Hoje de manhã, <u>enquanto</u> a Maria Luísa **tomava** banho, a irmã **arrumava** as camas.

Enquanto a Maria Luísa **tomava** banho,

a irmã **arrumava** as camas.

18.1. Complete as frases com os verbos **ser** ou **ter** no **pretérito imperfeito**.

1. — Quantos anos ______________ quando foi para a escola?
   — ______________ 6 anos. Mas meu irmão ______________ 5 anos.
2. ______________ 7h quando me levantei.
3. Chegaram muito tarde ontem à noite. Já ______________ meia-noite.
4. Minha mãe ______________ 18 anos e meu pai ______________ 20 anos quando começaram a namorar. ______________ muito jovens.
5. Ainda não ______________ 8h quando saímos de casa.

18.2. Faça frases com o verbo no **pretérito imperfeito**.

1. (ele / vestir-se // ela / preparar o café da manhã)
   Enquanto ele se vestia, ela preparava o café da manhã.
2. (os filhos / tomar banho // a mãe / arrumar os quartos)
   ____
3. (eu / assistir à televisão // ele / ler o jornal)
   ____
4. (eles / preparar o churrasco // nós / arrumar a mesa)
   ____
5. (ela / estar no telefone // tomar nota dos recados)
   ____
6. (a Ana Maria e o Ronaldo / estudar // ouvir música)
   ____
7. (a orquestra / tocar // o Sr. Ramos / dormir)
   ____
8. (as crianças / brincar // a gente / conversar)
   ____
9. (o professor / ditar // nós / escrever no caderno)
   ____
10. (a empregada / limpar a casa // eu / cuidar das crianças)
    ____
11. (ele / falar // fazer gestos com as mãos)
    ____
12. (o Zezinho / vestir o pijama // a mãe / preparar a cama)
    ____
13. (ela / estudar // enviar *torpedos* aos amigos)
    ____
14. (eles / jogar *Playstation* // elas / ouvir música)
    ____
15. (eu / dirigir-se à porta // o cachorro / latir)
    ____

estava fazendo e *fiz* (imperfeito *vs.* pretérito perfeito)

Ele **estava lendo** um livro.
O telefone **tocou.**

Ela **tinha** cabelo comprido e **usava** tranças.
Cortou o cabelo.

pret. imperfeito – ação decorrendo (~) pret. perfeito – ação pontual (•)
A Inês **estava lendo**, ~~~~~~~~ • ~~~~~~~~ quando o telefone **tocou**.

pret. imperfeito – descrição de fatos pret. perfeito – ação realizada
Aos 5 anos, **tinha** o cabelo comprido e **usava** tranças. Mais tarde **cortou** o cabelo.

☞ O pretérito imperfeito representa o presente no passado.
O pretérito perfeito indica uma ação completamente realizada.

pretérito perfeito
Ontem à noite **21h|** - - - - - - - - - - - - - - - - - - - **|23h** [vimos o filme] *(ação completa)* **Começamos** a ver o filme às 21h e **acabamos** às 23h.

pretérito imperfeito
Ontem à noite **21h|** ~~~~~~~~~~~~~~~~~~~ **|23h** [estávamos vendo o filme] *(ação decorrendo)* — O que é que estavam fazendo às 22h30? — **Estávamos vendo** o filme.

Estava vendo televisão quando ele me **ligou**.
Quando **saímos** de casa, **estava chovendo**.
Ontem **choveu** o dia todo.
Os alunos **estavam trabalhando** quando o professor **entrou**.
Hoje de manhã **vi** a Ana. Ela **estava tomando** o café da manhã na padaria. **Vestia** um casaco comprido e **calçava** botas. **Era** inverno. É lógico!

19.1. Faça frases, usando o **pretérito imperfeito** ou o **pretérito perfeito**.

1. (ela / ler o jornal) Ela estava lendo o jornal.
   (o telefone / tocar) O telefone tocou.
   (ela / atender o telefone) Ela atendeu o telefone.
2. (o João / dormir) ____
   (a mãe / entrar) ____
   (ele / levantar-se) ____
3. (o Sr. Silva / pintar a sala) ____
   (ele / cair da escada) ____
   (ele / quebrar o braço) ____
4. (eles / brincar na praia) ____
   (começar a chover) ____
   (eles / ir para casa) ____
5. (eu / ouvir música) ____
   (o chefe / chegar) ____
   (eu / desligar o rádio) ____

19.2. Faça frases com os verbos no **pretérito imperfeito** e **pretérito perfeito**.

1. (eles / chegar // a empregada / arrumar a casa)
   A empregada estava arrumando a casa quando eles chegaram.
2. (o Júlio / tomar banho // o telefone / tocar) ____
3. (chover // nós / sair de casa) ____
4. (os alunos / trabalhar // o professor / entrar) ____
5. (eu / ver televisão // meus amigos / bater à porta) ____
6. (eles / jogar futebol // começar a chover) ____
7. (nós / trabalhar // o computador / enguiçar) ____

19.3. Complete com o **pretérito imperfeito** ou **pretérito perfeito**.

1. Estava chovendo (chover) quando (eu) saí (sair) de casa.
2. O que é que estava fazendo (fazer) quando liguei (ligar) para você?
3. Ontem à noite (eu) não ____ (ter) fome. Por isso, não ____ (comer) nada.
4. A Emília não ____ (estar) em casa quando eu ____ (ir) falar com ela.
5. O carteiro ____ (chegar) enquanto nós ____ (tomar) o café da manhã.
6. Eu ____ (estar) atrasado, mas meus amigos ____ (estar) à minha espera quando (eu) ____ (chegar).
7. Ele não ____ (ir) à festa. ____ (estar) doente.
8. O que é que vocês ____ (fazer) no fim de semana passado? (Nós) ____ (ir) ao cinema Paissandu.
9. Ontem às 20h (eu) ainda ____ (trabalhar). (Eu) ____ (sair) do escritório às 22h.
10. Quando (nós) ____ (encontrar) a Sílvia, ela ____ (vestir) um vestido preto.
11. Enquanto (eu) ____ (tomar) chope no terraço, (eu) ____ (ouvir) um grande barulho. (Eu) ____ (levantar-se), ____ (olhar) em volta, mas não ____ (ver) nada.
12. Quando o Luiz ____ (ser) pequeno, (ele) ____ (ser) gordo e ____ (usar) óculos.
13. A irmã dele, pelo contrário, ____ (ser) muito magra e não ____ (usar) óculos.
14. Ele ____ (estar) com pressa quando (nós) ____ (falar) com ele.
15. Quando (eles) ____ (vir) para o Rio de Janeiro, (eles) ____ (ver) um acidente na estrada.

Unidade **20**

imperfeito de cortesia; imperfeito com valor de condicional

Queria um café, por favor.

Podia dizer-me as horas, por favor?

imperfeito de cortesia

☐ **fazer delicadamente uma afirmação**

Queria falar com o Dr. Nunes, por favor.

— Vamos ao cinema?
— **Preferia** ir ao teatro.

Queria um café e pão com manteiga, por favor.

☐ **fazer delicadamente um pedido**

Podia dizer-me onde é a Av. Rio Branco?

Podia trazer-me um copo de água, por favor?

Podia dizer-me as horas, por favor?

imperfeito com valor de condicional

☐ **expressar desejo**

Meu filho **queria** ser médico.

☐ **falar de ações cuja realização está dependente de uma condição**

Eu **ia** com vocês, mas infelizmente não tenho tempo.

Sem a sua ajuda, João, eu não **podia** acabar o trabalho a tempo.

20.1. Complete com os verbos no **pretérito imperfeito** (3.ª pessoa do singular).

1. Podia ____ (poder) me dizer onde ficam os Correios, por favor?
2. ____ (querer) o cardápio, por favor.
3. ____ (querer) mais alguma coisa?
4. ____ (poder) abrir a janela?
5. ____ (dar) para você me levar para casa?

20.2. Complete com os verbos no **pretérito imperfeito**.

1. A Ana preferia ____ (preferir) fazer um curso nos Estados Unidos.
2. Minha irmã mais nova ____ (querer) ser professora.
3. Eu ____ (ir) com vocês, mas tenho que estudar.
4. Nós não ____ (conseguir) encontrar a rua sem o mapa.
5. Hoje à noite (eu) ____ (preferir) ficar em casa.
6. De metrô (você) ____ (poder) chegar mais depressa.
7. Meus filhos ____ (querer) ir à Eurodisney!
8. Já são 19h. (Eu) ____ (querer) acabar o trabalho às 18h!
9. Com tanto calor ____ (querer) beber uma cerveja!
10. O José ____ (preferir) ir à festa no próximo sábado, mas provavelmente não pode.

20.3. Faça frases com os verbos no **imperfeito** (= condicional) e no **presente do indicativo**.

1. Não tenho tempo. Por isso, não vou com vocês.
Ia com vocês, mas não tenho tempo.
2. Tenho de estudar. Por isso, não vou ao cinema.
____
3. Estou fazendo dieta. Por isso, não como bolo.
____
4. Eles não podem sair. Por isso, não vão à festa.
____
5. Não tenho dinheiro. Por isso, não posso ir com vocês.
____
6. O café me faz mal. Por isso, não tomo café.
____

Unidade 21

pretérito mais-que-perfeito composto do indicativo

O trem partiu.

Nós chegamos à estação.

O trem já **tinha partido** quando nós chegamos à estação.

ter (pretérito imperfeito) + particípio passado

eu	**tinha**	
tu	**tinhas**	
você ele ela	**tinha**	**chegado** **estado** **ido**
nós	**tínhamos**	
vocês eles elas	**tinham**	

◇ Usamos o **pretérito mais-que-perfeito composto do indicativo** para falar de ações passadas que aconteceram antes de outras, também passadas:

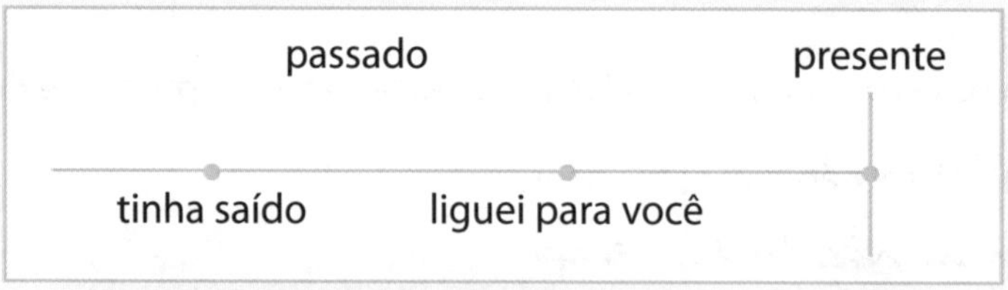

Ontem liguei para você, mas você já **tinha saído.**

Quando eu cheguei à festa, o João já **tinha ido** para casa.

particípio passado regular

	-ar	-er	-ir
infinitivo	fala~~r~~	come~~r~~	parti~~r~~
particípio passado	**falado**	**comido**	**partido**

particípio passado irregular

abrir	***aberto***	ganhar	***ganho***	pôr	***posto***
dizer	***dito***	gastar	***gasto***	ver	***visto***
escrever	***escrito***	pagar	***pago***	vir	***vindo***
fazer	***feito***				

21.1. Complete com os verbos no **pretérito mais-que-perfeito composto**.

1. Não estava em casa. (sair)
   Já tinha saído.
2. O bebê não estava com fome. (comer)
   Já ______
3. Eles já não estavam no Brasil. (voltar para a França)
   ______
4. A Tereza estava no hospital. (ter um acidente grave)
   ______
5. Ele não estava cansado. (dormir 12 horas)
   ______
6. Não fui à festa. (combinar ir ao concerto)
   Já ______
7. O Sr. Silva não sabia inglês. (aprender)
   Nunca ______
8. Não fomos ao cinema. (ver o filme)
   Já ______
9. Ela estava muito nervosa. (andar de avião)
   Nunca ______
10. Já não tinha barulho. (ir para a cama)
   As crianças ______

21.2. Complete com os verbos no **pretérito mais-que-perfeito composto** e no **pretérito perfeito**.

1. Quando eu cheguei (chegar) em casa, minha mãe já tinha saído (sair).
2. O filme já ______ (começar) quando nós ______ (entrar) na sala.
3. Quando eu me ______ (levantar), a empregada ______ (arrumar) tudo.
4. Nós já ______ (acabar) de jantar quando você ______ (ligar).
5. Quando nós ______ (encontrar) o Caetano, ele já ______ (falar) com a Bethânia.

21.3. Complete com os verbos no **pretérito mais-que-perfeito** ou no **pretérito perfeito**.

1. Não estou com fome. Já almocei. (almoçar)
2. Ele não estava com fome. Já tinha almoçado. (almoçar)
3. Eles estavam muito cansados. Não ______ (dormir) nada.
4. Porque é que está cansado? Não ______ (dormir)?
5. Peço desculpa pelo atraso, mas ______ (ter) um acidente de carro.
6. Encontrei a Gal Costa no hospital. Ela ______ (ter) um acidente com o carro dela.
7. Estou muito nervoso. Nunca ______ (andar) de avião.
8. Ele estava muito nervoso. Nunca ______ (andar) de avião.

Unidade 22 pretérito perfeito composto do indicativo

Ultimamente, **tenho trabalhado** muito.

Desde que a escola abriu, **têm tido** muitas inscrições.

ter (presente) + particípio passado

eu	**tenho**	
tu	tens	
você ele ela	**tem**	**falado** **ido**
nós	**temos**	**visto**
vocês eles elas	**têm**	

◊ Usamos o **pretérito perfeito composto do indicativo** para falar de ações que começam no passado e se prolongam no presente.

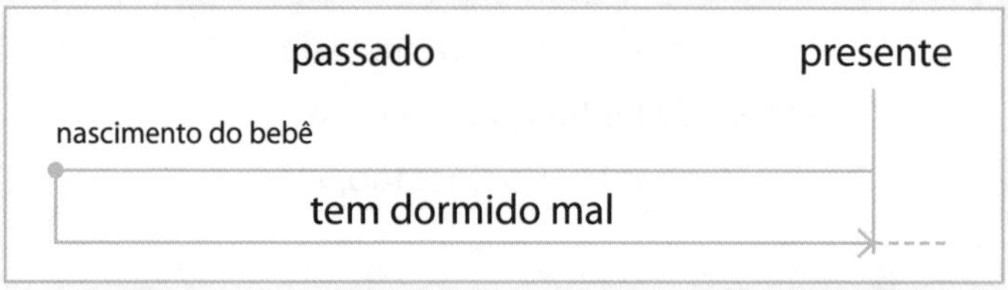

Desde que o bebê nasceu, ela **tem dormido** mal.

Este ano eles **têm estudado** mais do que no ano passado.

A Ana não vem trabalhar. **Tem estado** doente.

Este ano **tem chovido** muito.

— **Tem falado** com o João?
— Não, não o **tenho visto**.

Nos últimos anos, o número de turistas no nosso país **tem aumentado**.

22.1. Complete com os verbos no **pretérito perfeito composto**.

1. — (Você) Tem visto ______ (ver) a nova novela da televisão?
   — Não. (Eu) Tenho tido ______ (ter) muito trabalho ultimamente.
2. Ele não ______ (ir) à escola. ______ (estar) doente.
3. Estou mais gorda. ______ (ter) muito apetite.
4. Ultimamente nós não ______ (ir) ao cinema. Quer ir hoje?
5. Com o frio que ______ (fazer), eles não ______ (sair) de casa.

22.2. Faça frases com os verbos no **pretérito perfeito composto**.

1. (ela / faltar às aulas)
   Ela tem faltado às aulas.
2. (eu / não / falar com eles / ultimamente)
   ______
3. (vocês / encontrar / o João?)
   ______
4. (ele / não / vir trabalhar)
   ______
5. (seu time / ganhar / muitos jogos?)
   ______
6. (nós / perder / quase todos os jogos)
   ______
7. (o tempo / estar ótimo)
   ______
8. (eles / ir à praia / todos os dias)
   ______
9. (nestes últimos anos / eu / não tirar férias)
   ______
10. (meu marido / trabalhar muito)
   ______

22.3. Complete com o **pretérito perfeito composto** e o **pretérito perfeito**.

1. Desde que a escola abriu ______ (abrir), têm tido ______ (ter) muitas matrículas.
2. Ela não ______ (descansar) desde que o bebê ______ (nascer).
3. Desde que eu ______ (ir) ao médico, ______ (estar) melhor.
4. Desde que as férias ______ (acabar), eles ______ (ter) muito trabalho.
5. Eu não ______ (ver) a Ana desde que ela ______ (ficar) doente.
6. Desde que eles ______ (comprar) a casa, ______ (dar) muitas festas.
7. Desde que o verão ______ (começar), ______ (fazer) muito calor.
8. Desde que eu ______ (mudar) de casa, não ______ (encontrar) meus amigos.
9. Nós não ______ (ir) ao cinema desde que ______ (casar-se).
10. Ela ______ (vir) de metrô desde que a nova estação ______ (abrir).

Unidade **23**

vou fazer, *estou fazendo* e *acabei de fazer*

Ele **vai fazer** o jantar.

Ele **está fazendo** o jantar.

Ele **acabou de fazer** o jantar.

futuro próximo

	ir + infinitivo	
eu	**vou**	
tu	**vais**	
você ele ela	**vai**	**comer** **estudar** **partir**
nós	**vamos**	
vocês eles elas	**vão**	

realização prolongada no presente

estar + gerúndio	
estou	
estás	
está	**falando** **lendo** **vendo**
estamos	
estão	

passado recente

acabar de + infinitivo		
acabei		
acabaste		
acabou	de	**chegar** **sair** **vir**
acabamos		
acabaram		

— Aonde vai?
— **Vou comprar** ingressos para o cinema.

— O que é que a Ana **está fazendo**?
— **Está arrumando** a mesa.

— O Pedro já saiu?
— Já. **Acabou de sair**.

— Já são 9h e ainda não está pronta.
— Pois é. **Vou chegar** atrasada.

Ele está muito cansado. **Acabou de chegar** de viagem.

Finalmente **vamos comprar** o carro.

Você **está fazendo** muito barulho. Eles **estão estudando**.

Vai convidar o Eduardo para a festa?

Eles acabaram de entrar. Ainda não tiraram os casacos.

Ontem ele foi visitar a igreja. Amanhã **vai visitar** o museu.

Vou a pé para casa. O último ônibus **acabou de sair**.

23.1. Faça frases com **ir + infinitivo / estar + gerúndio / acabar de + infinitivo**.

1. eu / ler o jornal
   Eu vou ler o jornal.
   Eu estou lendo o jornal.
   Eu acabei de ler o jornal.
2. ela / fazer os exercícios
3. o João / tomar banho de chuveiro
4. eu e a Ana / arrumar a mesa
5. eles / falar com o professor

23.2. Faça perguntas e dê as respostas.

1. (vocês / fazer / à noite)
   (ver o filme da televisão)
   O que é que vocês vão fazer à noite?
   Vamos ver o filme da televisão.
2. (a Ana / fazer / depois das aulas)
   (jogar tênis)
3. (você / fazer / hoje à tarde)
   (estudar português)
4. (nós / fazer / amanhã de manhã)
   (fazer compras)
5. (vocês / fazer / no próximo fim de semana)
   (passear em Cabo Frio)

23.3. Responda às seguintes perguntas:

1. Quando é que voltou? (chegar)
   Acabei de chegar.
2. Chegaram há muito tempo? (entrar)
3. O Pedro já acordou? (levantar-se)
4. Ela já está pronta? (vestir-se)
5. Quando é que eles voltaram? (chegar)

Unidade 24

futuro do presente do indicativo

Ele tem 17 anos.
No próximo ano **terá** 18 anos.

Elas viajam muito. Amanhã às 10h **estarão** em Paris.

verbos regulares

	falar
eu	falar***ei***
tu	falar***ás***
você ele ela	falar***á***
nós	falar***emos***
vocês eles elas	falar***ão***

verbos irregulares

dizer	fazer	trazer
direi	**farei**	**trarei**
dirás	**farás**	**trarás**
dirá	**fará**	**trará**
diremos	**faremos**	**traremos**
dirão	**farão**	**trarão**

O presidente **partirá** às 9h e **chegará** às 11h30 em Brasília.

Este ano, no verão, fomos para Búzios. No próximo ano **iremos** para Ilha Bela.

Ela diz que o médico **virá** por volta das 17h.

Terei muito prazer em provar sua feijoada.

O Rafael diz que **trará** presentes para todos.

Ela tem medo de andar de avião. Diz que nunca **andará** de avião.

◇ Usamos ainda esta forma de **futuro** em frases **interrogativas** para exprimir **incerteza/desconhecimento** sobre situações presentes.

Vamos hoje para Porto Alegre. **Será** que está frio?

Estão tocando a campainha. Quem **será**?

A Júlia estuda muito, mas **passará** no vestibular?

Ele não veio trabalhar. **Estará** doente?

24.1. Complete com os seguintes verbos no **futuro do presente**:

1. ir / eu ______
2. ter / você ______
3. partir / ele ______
4. fazer / eu ______
5. dizer / nós ______
6. trazer / ela ______
7. ser / eles ______
8. vir / vocês ______
9. sair / eu ______
10. falar / você e eu ______
11. comer / eu e ela ______
12. ouvir / elas ______
13. ver / você ______
14. pôr / você ______
15. poder / eu ______

24.2. A Maria Cristina é aeromoça e viaja muito. Faça frases com os verbos no **futuro do presente**.

1. (amanhã às 10h / partir para Madri)
   Amanhã às 10h partirá para Madri.
2. (ficar lá dois dias)
   ______
3. (no dia 18 / chegar em Paris)
   ______
4. (cinco dias depois / viajar para Viena)
   ______
5. (de Viena / ir para Roma)
   ______
6. (no dia seguinte / partir para Atenas)
   ______

24.3. Complete com os verbos no **futuro do presente**.

1. Não fumo nem nunca ______
2. Ele não é bom aluno nem nunca ______
3. Não falo com ela nem nunca ______
4. Não gosto de teatro nem nunca ______
5. Não faço isso nem nunca ______

24.4. Complete as frases com o verbo no **futuro do presente**.

1. Esta semana, o presidente ______ (iniciar) a habitual visita pelo país.
2. O presidente ______ (começar) amanhã sua viagem pelo Brasil.
   Primeiro ______ (visitar) o Nordeste.
3. Depois, ______ (estar) na região Centro durante uma semana.
4. Finalmente ______ (ir) para o Sul, onde ______ (ficar) cerca de cinco dias.
5. Na próxima semana, ______ (ter) encontros com os governadores do Pará e do Amazonas.

24.5. Complete as frases interrogativas com os verbos no **futuro do presente**.

1. Hoje está muito frio. ______ (ser) que vai nevar?
2. Ela é competente, mas ______ (ir) ganhar a eleição?
3. O telefone está tocando. ______ (ser) o Pedro?
4. Eu tenho estudado muito, mas ______ (passar) na prova?
5. É meia-noite. O bar ainda ______ (estar) aberto?

Unidade 25

futuro do pretérito

Esta casa é maravilhosa.
Gostaria muito de viver aqui.

Ele abriu uma pequena loja em 1988.
Dois anos mais tarde **seria** dono de uma grande cadeia de supermercados.

verbos regulares

	falar
eu	falar***ia***
tu	falar***ias***
você ele ela	falar***ia***
nós	falar***íamos***
vocês eles elas	falar***iam***

verbos irregulares

dizer	fazer	trazer
diria	**faria**	**traria**
dirias	**farias**	**trarias**
diria	**faria**	**traria**
diríamos	**faríamos**	**traríamos**
diriam	**fariam**	**trariam**

◇ Usamos o **futuro do pretérito** para:

☐ **falar de ações cuja realização está dependente de uma condição**

Gostaria de ir com vocês, mas infelizmente não posso.

☐ **expressar desejos**

Daria tudo para não ter prova amanhã.

☐ **formular pedidos** ("forma de cortesia")*

Poderia me dizer as horas, por favor?

☐ **sugerir**

Deveríamos convidar os pais, não acha?

☐ **indicar ações posteriores à época de que se fala** (mais comum na linguagem escrita)

Começou como estagiário e mais tarde **seria** promovido a chefe.

☞ *Neste caso, o **futuro do pretérito** pode ser substituído pelo **pretérito imperfeito do indicativo**, forma mais coloquial.

25.1. Complete com o verbo no **futuro do pretérito**.

1. dar / nós ______	5. ir / eu ______	9. ver / eles ______	13. ter / você e a Ana ______
2. ser / você ______	6. ler / você ______	10. dizer / nós ______	14. pôr / ela ______
3. fazer / ele ______	7. trazer / você ______	11. vir / você ______	15. ouvir / vocês ______
4. poder / você ______	8. estar / ela ______	12. falar / eu ______	16. chegar / eu e você ______

25.2. Complete as frases com o verbo no **futuro do pretérito**.

1. Nós íríamos ______ (ir) ao cinema, mas infelizmente não temos tempo.
2. ______ (dar) tudo para ter um autógrafo dela.
3. ______ (poder) me dar uma informação?
4. Vocês ______ (dever) falar com o médico.
5. Eu ______ (gostar) de trocar de carro.
6. De táxi ______ (ser) mais rápido.
7. Sem a ajuda dos amigos, a casa não ______ (estar) pronta.
8. ______ (poder) ir a um restaurante chinês.
9. Ela ______ (adorar) morar perto da praia.
10. Não ______ (ser) melhor comprar já as entradas?
11. Eu não me ______ (importar) de fazer o trabalho, mas hoje não posso.

25.3. Complete com os verbos no **futuro do pretérito**.

1. Fiz isso e faria ______ outra vez.
2. Fui a casa deles e ______ outra vez.
3. Paguei o jantar e ______ outra vez.
4. Gastei o dinheiro todo e ______ outra vez.
5. Falei com o chefe e ______ outra vez.
6. Fui empregada doméstica e ______ outra vez.
7. Já vi o filme e ______ outra vez.
8. Li o livro todo e ______ outra vez.
9. Disse mal deles e ______ outra vez.
10. Contei o segredo para Ana e ______ outra vez.

imperativo
formação **regular** (afirmativa)

verbos em *-ar*

presente do indicativo	singular	plural
(eu) fal~~o~~	**Fal*e*!**	**Fal*em*!**

verbos em *-er* e *-ir*

presente do indicativo	singular	plural
(eu) beb~~o~~	**Beb*a*!**	**Beb*am*!**
(eu) abr~~o~~	**Abr*a*!**	**Abr*am*!**

◇ Formamos o **imperativo** a partir do singular do presente do indicativo. Desse modo, retira-se a terminação –o à 1.ª pessoa do singular e se acrescenta, singular e plural respectivamente, ***-e*** e ***-em***, nos verbos em *-ar*, e ***-a*** e ***-am***, nos verbos em *-er* e *-ir*.

Fale mais baixo!
Falem mais baixo!

Beba água!
Bebam água!

Abra a porta!
Abram a porta!

◇ Usamos as formas do **imperativo** para:

- ☐ **dar ordens** — **Calem**-se!
- ☐ **dar conselhos** — **Beba** leite! Faz bem à saúde.
- ☐ **dar sugestões** — **Apanhem** um táxi. É mais rápido.
- ☐ **dar indicações** — **Vire** aqui à direita e depois **siga** sempre em frente.

26.1. Complete com as formas corretas dos verbos no **imperativo**.

vestir

1. (você) Vista ____ a camisola.
2. (vocês) Vistam ____ os casacos.

pôr

3. (você) ____ os óculos.
4. (vocês) ____ as camisolas.

trazer

5. (você) ____ o dicionário.
6. (vocês) ____ os documentos.

pedir

7. (você) ____ desculpa.
8. (vocês) ____ licença.

ler

9. (você) ____ o livro.
10. (vocês) ____ as instruções.

fazer

11. (você) ____ o almoço.
12. (vocês) ____ os exercícios.

tirar

13. (você) ____ a capa de chuva.
14. (vocês) ____ os casacos.

vir

15. (você) ____ à Recife.
16. (vocês) ____ em casa.

26.2. Antes de se deitarem, a mãe diz aos filhos:

1. — ____ (escovar) os dentes.
2. — ____ (vestir) o pijama.
3. — ____ (desligar) a televisão.
4. — ____ (dizer) boa noite ao pai.
5. — ____ (dormir) bem.

26.3. Complete as frases com os verbos no **imperativo**.

1. — Está muito calor aqui. (vocês / abrir a janela)
   — Abram a janela.
2. — Onde ficam os Correios, por favor?
   (o senhor / virar à esquerda)
   — ____
3. — Estou com fome. (você / comer um sanduíche)
   — ____
4. — Precisa de ajuda? (você / arrumar a mesa)
   — ____, por favor.
5. — Estou com frio. (você / vestir o agasalho)
   — ____
6. — Estamos com sede. (vocês / beber um suco)
   — ____
7. — Não compreendo este texto.
   (você / ver as palavras no dicionário)
   — ____
8. — Como é que o vídeo funciona?
   (você / ler as instruções)
   — ____
9. — Mãe, temos de comprar os ingressos.
   (vocês / pedir dinheiro ao pai)
   — ____
10. — Precisa de alguma coisa do supermercado?
    (a senhora / trazer queijo e presunto)
    — ____, por favor.
11. — O relógio parou! (você / substituir a pilha)
    — ____
12. — Vamos agora para o aeroporto.
    (vocês / fazer boa viagem)
    — ____
13. — Hoje nem tive tempo de ler o jornal.
    (o senhor / ver o noticiário à noite)
    — ____
14. — Não posso ver o jogo; tenho de fazer plantão.
    (você / ouvir o jogo pelo rádio)
    — ____
15. — Tenho medo de andar de elevador.
    (você / subir pelas escadas)
    — ____
16. — Não gosto de ir sozinho ao ginásio.
    (o senhor / vir conosco)
    — ____

imperativo
formação **regular** (negativa)
formação **irregular** (afirmativa e negativa)

forma negativa

	-ar	-er / -ir
singular	Não **fale**!	Não **coma**! Não **abra**!
plural	Não **falem**!	Não **comam**! Não **abram**!

Não **fale** tão alto!
Não **falem** tão alto!

Não **coma** tanto!
Não **comam** tanto!

Não **abra** a janela!
Não **abram** a janela!

formação irregular

	singular	plural
	afirmativa e negativa	afirmativa e negativa
ser	(não) **seja**	(não) **sejam**
estar	(não) **esteja**	(não) **estejam**
dar	(não) **dê**	(não) **deem**
ir	(não) **vá**	(não) **vão**

Vão de ônibus!
Esteja à vontade!

Não **deem** comida ao cachorro!
Sejam bem-vindos!

Não **seja** teimoso!
Dê gorjeta!

27.1. Complete com as formas corretas dos verbos no **imperativo**.

ser

1. (você) ____________ feliz!
2. (vocês) ____________ pontuais!

ir

3. (você) ____________ aos correios.
4. (vocês) ____________ falar com o professor.

dar

5. (você) ____________-me o livro.
6. (vocês) ____________-me as revistas.

estar

7. (você) ____________ à vontade!
8. (vocês) ____________ prontos às 9h.

27.2. O Miguel tem 5 anos e faz muitas asneiras. A mãe dá-lhe algumas ordens.

1. Miguel, não tire ____________ (tirar) o casaco. Está muito frio.
2. Não ____________ (falar) alto. Seus irmãos estão estudando.
3. Não ____________ (comer) tantos chocolates.
4. Não ____________ (tirar) os sapatos.
5. Não ____________ (sujar) o chão.
6. Não ____________ (quebrar) o copo.
7. Não ____________ (escrever) na parede.
8. Não ____________ (dizer) bobagens.
9. Não ____________ (fazer) barulho.
10. Não ____________ (derramar) o leite.
11. Não ____________ (dar) pontapés na sua irmã.

27.3. Faça frases com os verbos no **imperativo**.

1. — (você / não / fumar / tanto)
— Não fume tanto!
2. — (vocês / não / beber / água da torneira)
— ____________
3. — (vocês / dar / parabéns / para a avó)
— ____________
4. — (vocês / não / sair / perto de mim)
— ____________
5. — (vocês / estar / na escola às 9h)
— ____________
6. — (você / não / ser / preguiçoso)
— ____________
7. — (a senhora / não / atrasar-se)
— ____________
8. — (vocês / ir / fazer as tarefas de casa)
— ____________
9. — (vocês / não / destruir / o quebra-cabeça)
— ____________
10. — (o senhor / não / dirigir / tão depressa)
— ____________
11. — (vocês / não / sentir / pena dele)
— ____________
12. — (você / não / jogar / papéis no chão)
— ____________
13. — (você / dar / recado / para Inês / por favor)
— ____________
14. — (você / não / perder / o guarda-chuva)
— ____________
15. — (vocês / não / distribuir / já os presentes)
— ____________
16. — (o senhor / não / ir / por esse caminho)
— ____________

infinitivo pessoal

Ele lhes disse ***para* levarem** os casacos.

Ele comprou um livro ***para*** o filho **ler**.

	-ar / -er / -ir
eu	chegar
tu	falar***es***
você ele ela	ler
nós	ir***mos***
vocês eles elas	ser***em***

◊ Forma-se o infinitivo pessoal a partir do infinitivo de qualquer verbo mais as seguintes terminações:

— **es** (2.ª pessoa do singular).
— **mos** (1.ª pessoa do plural).
— **em** (3.ª pessoa do plural).

◊ Usamos o infinitivo pessoal depois de:

☐ **expressões impessoais**

É melhor vocês **levarem** os casacos.
É preciso ir ao supermercado.
É agradável estarmos no terraço.

☐ **preposições**

Ao ouvir os médicos, o Pedro ficou preocupado. (= Quando o Pedro ouviu os médicos, …)
Comprei entradas **para irmos** ao cinema.
Não convidei você, João, **por estar** doente.
Não saiam de casa **sem** eu **chegar**.
Eu espero **até** vocês **acabarem** o trabalho.

☐ **locuções prepositivas**

Li o livro **antes de ver** o filme.
Apesar de serem muito ricos, não gostam de gastar dinheiro.
No caso de querer mais informações, Sr. Marques, ligue-me.
Depois de estudar tudo, pode sair.

8.1. Complete com os verbos no **infinitivo pessoal**.

1. Fomos visitar a Ana por ela ________ (estar) doente.
2. Depois de ________ (pensar), decidimos não fechar o negócio.
3. Quero acabar o bolo antes de ________ (chegar) os convidados.
4. Depois de vocês ________ (partir), arrumo a casa.
5. Apesar de ________ (estar) com sono, não conseguiram dormir.
6. Não é muito provável eles ________ (aceitar) o trabalho.
7. Até nós ________ (encontrar) o dinheiro, ninguém sai da sala.
8. É perigoso ________ (tomar) banho nesse rio, meninos.
9. Fui de táxi para não ________ (chegar) tarde.
0. Eles estão aprendendo inglês para ________ (ir) aos Estados Unidos.
1. Sem ________ (saber) línguas, não podem concorrer ao lugar.
2. Esperem aqui até eu ________ (voltar).
3. Depois de ________ (comer), nós tomamos sempre café.
4. Sem ________ (provar) o bolo, não pode dizer se é bom ou ruim.
5. A Joana ficou muito contente ao ________ (receber) o presente.

8.2. Ligue as frases com as palavras entre parênteses. Faça as alterações necessárias.

1. Ele vai ao cinema. Primeiro acaba o trabalho. (depois de)
   Ele vai ao cinema depois de acabar o trabalho.
2. Não posso ir. Ligo-lhe. (no caso de)
   ____
3. Não me sinto bem, mas vou trabalhar. (apesar de)
   ____
4. Faça as compras. Depois venha logo para casa. (depois de)
   ____
5. Primeiro têm que lavar as mãos. Depois comem o bolo. (antes de)
   ____
6. Acabe o trabalho. Depois apague a luz. (depois de)
   ____
7. Ele tem um bom emprego, mas não está satisfeito. (apesar de)
   ____
8. Vocês veem o filme. Primeiro deviam ler o livro. (antes de)
   ____
9. Não temos aulas. Vamos ao museu. (no caso de)
   ____
0. Eles saem. Eu arrumo a casa. (depois de)
   ____

8.3. Complete as frases com as palavras indicadas e com os verbos no **infinitivo pessoal**.

ao	até	para	por	sem

. Ao ________ entrarem ________ (entrar) em casa, viram que estava tudo desarrumado.
. Não falem com o professor ________ eu ________ (chegar).
. Comprei ingressos ________ (nós) ________ (ir) ao concerto.
. Ela não foi trabalhar ________ ________ (estar) doente.
. ________ vocês ________ (ver) o filme, não podem criticar.
. As crianças ficaram contentíssimas ________ ________ (abrir) os presentes.

gerúndio simples; ir + gerúndio

Vão descendo que eu já vou.

Indo de táxi é mais rápido.

gerúndio simples

	-ar	-er	-ir
infinitivo	falar	comer	abrir
gerúndio	**falando**	**comendo**	**abrindo**

◇ Usamos o **gerúndio** para:

☐ **substituir uma oração coordenada**

Assaltaram a casa **e levaram** todos os objetos de valor.

Assaltaram a casa, **levando** todos os objetos de valor.

☐ **exprimir uma circunstância de tempo**

Quando viu o carro, parou.

Vendo o carro, parou.

☐ **indicar o modo**

Ele ouvia, **com lágrimas** nos olhos, o relato do acidente.

Ela ouvia, **chorando**, o relato do acidente.

realização gradual
ir + gerúndio

eu	**vou**	
tu	**vais**	
você ele ela	**vai**	**andando** **escrevendo** **fazendo**
nós	**vamos**	
vocês eles elas	**vão**	

Vão andando que nós estamos quase prontos.

Vai chamando o táxi que eu já desço.

Enquanto a mãe prepara o almoço, a Ana **vai arrumando** a mesa.

Enquanto o professor não chega, os alunos **vão lendo** o texto.

29.1. Complete as frases substituindo a parte destacada pelo **gerúndio**.

1. **Quando chego** em casa, ligo logo a televisão.
   Chegando em casa, ligo logo a televisão.
2. Junte o açúcar com a manteiga e **misture** bem.
   Junte o açúcar com a manteiga, ______________.
3. A mãe ouvia, **com um sorriso**, as histórias do filho.
   A mãe ouvia, ______________.
4. **Quando durmo** pouco, fico com dor de cabeça.
   ______________, fico com dor de cabeça.

29.2. Como... ?

1. — Como é que os ladrões entraram?
   — Quebrando (quebrar) o vidro.
2. — Como é que a mancha sai?
   — ______________ (esfregar) com força.
3. — Como é que se demora menos tempo?
   — ______________ (ir) pela autoestrada.
4. — Como é que se liga a máquina?
   — ______________ (apertar) o botão "Ligue".
5. — Como é que ele passou no exame?
   — ______________ (copiar) do colega.
6. — Como é que você quebrou o braço?
   — ______________ (cair) da escada.
7. — Como é que conseguiu o emprego?
   — ______________ (falar) com o diretor.
8. — Como é que arranjaram o dinheiro?
   — ______________ (pedir) um empréstimo no banco.
9. — Como é que resolveu o problema?
   — ______________ (comprar) um segundo carro.
10. — Como é que vocês ganharam o campeonato?
   — ______________ (trabalhar) muito.

29.3. Complete com **ir + gerúndio**.

A

Enquanto o professor não chega, os alunos...

1. vão lendo o texto. (ler o texto)
2. ______________. (escrever a redação)
3. ______________. (fazer os exercícios)
4. ______________. (ouvir o CD)
5. ______________. (estudar a gramática)
6. ______________. (preparar a tarefa)

B

Enquanto Dona Rita vai fazer compras, a empregada...

1. vai fazendo as camas. (fazer as camas)
2. ______________. (arrumar os quartos)
3. ______________. (tirar o pó)
4. ______________. (estender a roupa)
5. ______________. (preparar o almoço)
6. ______________. (arrumar a mesa)

C

Enquanto o chefe está na reunião, eu...

1. vou ligando aos clientes. (ligar aos clientes)
2. ______________. (fazer os relatórios)
3. ______________. (traduzir a carta)
4. ______________. (arquivar os dossiês)
5. ______________. (tirar xerox)
6. ______________. (preencher os formulários)

haver; haver de + infinitivo

Não **há** nada dentro da caixa.

Há um coelho dentro da caixa.

Há dois coelhos dentro da caixa.

verbo haver / forma impessoal

presente	pretérito perfeito	imperfeito	pretérito perfeito composto	pretérito mais-que--perfeito composto	futuro do presente	futuro do pretérito
há	**houve**	**havia**	**tem havido**	**tinha havido**	**haverá**	**haveria**

◇ O verbo **haver** pode ser equivalente a:

- ☐ **ter**
  Há morangos para a sobremesa. (= Temos morangos para a sobremesa.)
- ☐ **passar / ser transmitido**
  Hoje **há** um bom filme na televisão. (= Hoje passa / é transmitido um bom filme na televisão.)
- ☐ **existir**
  Há várias teorias sobre esse assunto. (= Existem várias teorias sobre esse assunto.)
- ☐ **acontecer / passar-se**
  O que é que **houve**? (= O que é que aconteceu / se passou?)

intenção / convicção
haver de + infinitivo

eu	**hei de**	**fazer** **ir** **ser**
tu	**hás de**	
você ele ela	**há de**	
nós	**havemos de**	
vocês eles elas	**hão de**	

◇ Usamos **haver de + infinitivo** para exprimir forte **intenção** ou **convicção** relativamente a ações ou fatos futuros.

— O que é que você quer ser mais tarde?
— **Hei de** ser médico.

— Já encontrou sua mala?
— Ainda não, mas **hei de encontrá-la**.

Fomos a Vitória. É uma cidade tão bonita que **havemos de voltar** lá.

30.1. Substitua o verbo destacado pela forma correta do verbo **haver**.

1. Ontem, não **tivemos** aulas.
   Ontem, não houve aulas.
2. Ainda **tem** duas pessoas na sala de espera.
   ______.
3. **Temos tido** muito trabalho ultimamente.
   ______.
4. Ontem, à noite, **passou** um programa muito interessante na televisão.
   ______.
5. Antigamente, **existia** um botequim naquela esquina.
   ______.
6. Amanhã, **temos** uma visita de estudos no Instituto Oswaldo Cruz.
   ______.
7. Você não está bem. O que é que **aconteceu**?
   ______?
8. Depois da palestra, **tivemos** um debate.
   ______.
9. **Temos** tempo para tomar um café?
   ______?
10. **Tem** alguém no escritório a esta hora?
    ______?
11. Não, não **tem** ninguém lá.
    ______.
12. Depois do sorteio, **teremos** uma festa junina.
    ______.
13. Disseram que no próximo ano **teriam** mais bolsas de estudo para atribuir.
    ______.

30.2. A Ana está conversando com a Rita sobre o cruzeiro que pretende fazer pelo Mediterrâneo. Complete o diálogo com **haver de + infinitivo** na forma correta.

Ana: Um cruzeiro pelo Mediterrâneo ______ (ser) uma experiência muito interessante. Eu ______ (conhecer) outras terras e outros povos.
Rita: Sim, e você ______ (aprender) muito sobre os costumes desses países.
Ana: Eu e meu marido ______ (tirar) fotografias para lhe mostrarmos.
Rita: Ótimo. Acho que vocês nunca ______ (esquecer) essas férias. ______ (divertir-se) bastante e depois ______ me contar tudo.
Ana: Claro, e um dia, quem sabe, você ______ (ir) conosco.

30.3. Substitua o futuro por **haver de + infinitivo** na forma correta.

1. Eles **serão** contatados ainda hoje.
   Eles hão de ser contatados ainda hoje.
2. Da próxima vez **fará** o que o médico lhe aconselhar e tudo **correrá** bem.
   ______.
3. Seguindo as indicações do mapa, **encontrarão** facilmente o hotel.
   ______.
4. Durante nossa estadia em Salvador, **visitaremos** o Museu de Artes Sacras.
   ______.
5. Faça como lhe expliquei e não **terá** problemas.
   ______.
6. Eles gostaram muitíssimo de Brasília. Um dia, eu também **irei** lá.
   ______.

Unidade 31 poder, conseguir, saber, conhecer, dever, ter de/que, precisar/precisar de

poder

☐ **possibilidade / oportunidade**	Ele tem tido muito trabalho. Só agora é que **pode** tirar férias. Hoje não **posso** ir com vocês.
☐ **proibição** (negativa)	**Não** se **pode** fumar nos transportes públicos. O senhor **não pode** estacionar o carro aqui.
☐ **pedir / dar autorização**	— **Posso** entrar? — **Pode.**

conseguir

☐ **capacidade física / mental**	Ele não **consegue** estudar com barulho. — **Consegue** ver alguma coisa? — Não. Sem óculos não **consigo** ver nada.

saber

☐ **ter conhecimentos para**	— **Sabe** trabalhar com esta máquina? — Não, não **sei**. Minha mãe **sabe** falar russo.

conhecer

☐ **já ter visto / já ter visitado**	— **Conhece** o irmão da Carmen? — **Conheço**, foi meu colega na escola. — **Conhece** São Paulo? — **Conheço**.

dever

☐ **probabilidade**	É meia-noite. A estas horas não **deve** ter ninguém no escritório.
☐ **obrigação moral** (o que está certo)	Um jornalista **deve** ter cultura geral. Não **devia** fumar. Faz mal à saúde.

ter de / que

☐ **forte necessidade**	**Tenho que** tomar o antibiótico 3 vezes por dia.
☐ **obrigação**	No Brasil, os homens **têm de** fazer o serviço militar.

precisar / precisar de

☐ **necessidade**	Vou ao banco. **Preciso** sacar dinheiro. Vou fazer compras. Minha mãe **precisa de** ovos, açúcar e manteiga para fazer um bolo.

31.1. Complete com **poder**, **conseguir**, **saber**, **conhecer** na forma correta.

1. Podia me dizer as horas, por favor?
2. Não ________ tocar piano. Nunca aprendi.
3. A Ana não ________ sair. Tem exame amanhã.
4. ________ dar um telefonema?
5. Não ________ abrir a janela. Você me ajuda?
6. — ________ nadar?
   — ________, mas não muito bem.
7. Ele estava muito cansado, mas não ________ dormir.
8. — ________ Ilhéus?
   — Não, não ________.
9. Ele não ________ ir à festa no sábado. Estava doente.
10. Não ________ ver nada. Há muita gente na minha frente.
11. Não ________ falar espanhol, mas ________ entender quase tudo.
12. — ________ meus pais?
    — Muito prazer. Como vão os senhores?
13. Esse rio é perigoso. Não se ________ tomar banho.
14. Ele falou tão depressa que nós não ________ compreender nada.
15. ________ Alagoas muito bem. Vivi em Maceió durante 10 anos.

31.2. Complete com **precisar** na forma correta.

1. Está ficando muito gorda.
   (fazer ginástica) Precisa fazer ginástica.
2. A roupa está suja.
   (lavar) Precisa ser lavada.
3. O elevador não funciona.
   (consertar) ________.
4. Não tenho nada em casa.
   (fazer compras) ________.
5. Ele tem o cabelo muito comprido.
   (cortar) ________.
6. O vestido está rasgado.
   (costurar) ________.

31.3. Complete com **dever** na forma correta.

A

1. — Sabe se a Ana está em casa?
   — (provavelmente está) Deve estar.
2. — De quem é este dicionário de português?
   — (provavelmente é da Maria) ________.
3. — Ninguém atende o telefone.
   — (provavelmente estão de férias) ________.
4. — Estou com febre.
   — (provavelmente está com gripe) ________.
5. — Ainda não foi ver este filme?
   — (provavelmente vou amanhã) ________.
6. — Houve um acidente na estrada.
   — (provavelmente ele chega atrasado) ________.

B

1. Está muito gordo. Devia comer menos.
2. Vocês não ________ fumar. Faz mal à saúde.
3. Se não se sente bem ________ ir ao médico.
4. Eles nos convidaram para a festa. ________ ligar para agradecer.
5. ________ sair agora, senão você chega atrasado.
6. O filme é muito violento. Acho que você não o ________ ver.

31.4. Complete com **ter de / que** na forma correta.

1. Temos que ganhar o jogo hoje. É a nossa última oportunidade.
2. O banco está quase fechando. (Eu) ________ sair já.
3. Eles compraram o apartamento. Mas, para isso, ________ pedir um empréstimo.
4. O filme é ótimo. (Vocês) ________ vê-lo.
5. Se quer passar no exame, ________ estudar mais.
6. Ainda fico trabalhando mais um pouco. ________ acabar estas cartas.

passiva
ser + particípio passado

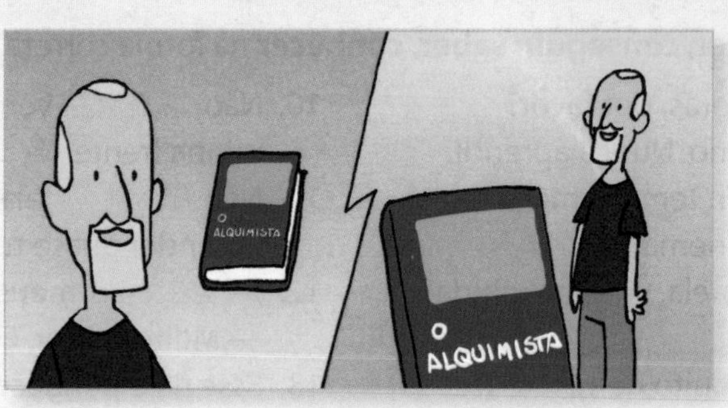

Paulo Coelho escreveu "O Alquimista" = "O Alquimista" foi escrito por Paulo Coelho.

◇ É formada com o verbo auxiliar **ser**, no mesmo tempo do verbo da voz ativa, seguido do **particípio passado do verbo principal**, que concorda em gênero e número com o sujeito.

◇ O complemento objeto direto da ativa transforma-se em sujeito na passiva; o sujeito da ativa transforma-se em agente da passiva, regido pela preposição **por**, contraída (ou não) com o artigo.

☞ por + o = pelo por + os = pelos
por + a = pela por + as = pelas

sujeito	predicado	objeto direto
A Raquel	compra	os ingressos.
	comprou	
	tinha comprado	
	comprará	
	vai comprar	

sujeito	predicado	agente da passiva
Os ingressos	são comprados	pela Raquel.
	foram comprados	
	tinham sido comprados	
	serão comprados	
	vão ser comprados	

A Diana desenhou essas gravuras. = Essas gravuras **foram desenhadas** pela Diana.
Nós estamos organizando a festa. = A festa **está sendo organizada** por nós.
A UNICEF tem ajudado muitas crianças. = Muitas crianças **têm sido ajudadas** pela UNICEF.

◇ Omissão do agente da passiva:
□ quando na voz ativa o sujeito é **indeterminado** e não está expresso, o agente da passiva omitido.

sujeito	predicado	objeto direto
--------	Construíram	novas estradas.

sujeito	predicado	agente da passiva
Novas estradas	foram construídas.	--------------------------

Ainda estão analisando a proposta. = A proposta ainda **está sendo analisada.**
Deviam informar toda a gente. = Toda a gente **devia ser informada**.

32.1. Faça frases na **passiva**.

1. O jornalista escreveu o artigo.
   O artigo foi escrito pelo jornalista.
2. O presidente vai inaugurar a exposição.
   A exposição
3. A empresa oferece o almoço.
4. O canal 6 transmitirá o jogo para todo o Brasil.
5. A empregada já tinha limpado os quartos.
6. O clima da região do Pantanal atrai muitos turistas.
7. O barulho acordou as crianças.
8. Essa agência tem contratado muitos jovens.
9. Nossa equipe ganhou o 1.º prêmio.
10. As crianças do primário fizeram os desenhos.

32.2. Ponha as frases na **passiva**.

1. Chamaram a ambulância imediatamente.
   A ambulância foi chamada imediatamente.
2. Viram o criminoso perto da fronteira.
   O criminoso
3. Assaltaram o banco na noite passada.
4. Aumentaram os impostos.
5. Vão construir mais escolas.
6. Vão abrir o hotel no próximo verão.

32.3. Complete com o verbo na **passiva**.

1. Onde está minha bicicleta? (roubar)
   Foi roubada?
2. O que é que aconteceu com a ponte? (destruir)
   ?
3. Onde está meu carro? (rebocar)
   ?
4. Porque é que há tantos policiais no banco? (assaltar)
   ?
5. Onde estão os documentos? (roubar)
   ?
6. O que é que aconteceu com aquela senhora? (atacar)
   ?

32.4. Responda com uma frase na **passiva**.

1. — Foi você quem **pagou** o jantar?
   — Sim, fui eu. O jantar foi pago por mim.
2. — Foi a Ana que **ganhou** o jogo?
   — Foi sim. O jogo .
3. — Foi o Pedro que **encontrou** os documentos?
   — Foi sim. .
4. — Foi a agência que **ofereceu** a viagem?
   — Foi sim. .
5. — Foram vocês que **encomendaram** as flores?
   — Sim, fomos nós. .
6. — Foi ele que **fez** os exercícios?
   — Foi sim. .
7. — Foram eles que **escreveram** o artigo?
   — Foram sim. .
8. — Fui eu que **quebrei** o vidro?
   — Sim, foi você. .

passiva
estar + particípio passado; particípios duplos

antes		agora
Os sapatos ***estavam sujos***.	Ele limpou os sapatos.	Os sapatos **estão limpos**.
A janela ***estava fechada***.	Ela abriu a janela.	A janela **está aberta**.

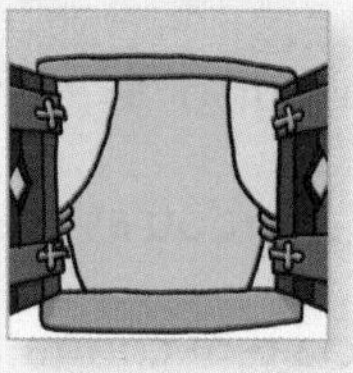

Passiva
resultado da ação
estar + particípio passado

		resultado
Já fizeram os exercícios.	= Os exercícios já foram feitos.	Os exercícios **estão feitos**.
O João pagou o almoço.	= O almoço foi pago pelo João.	O almoço **está pago**.
Já marcaram a reunião.	= A reunião já foi marcada.	A reunião **está marcada**.
Assinaram ontem o contrato.	= O contrato foi assinado ontem.	O contrato **está assinado**.

particípios duplos

	regular (auxiliar *ter*)	**irregular** (auxiliar *ser* e *estar*)
aceitar	**aceitado**	**aceito**
acender	**acendido**	**aceso**
entregar	**entregado**	**entregue**
limpar	**limpado**	**limpo**
matar	**matado**	**morto**
prender	**prendido**	**preso**
salvar	**salvado**	**salvo**
secar	**secado**	**seco**

◇ Nos verbos com **particípios duplos** usamos o **particípio regular** com o auxiliar **ter** (tempos compostos); o **particípio irregular** é usado com os auxiliares **ser** e **estar** (voz passiva).

◇ O **particípio regular** é **invariável**; o **particípio irregular** concorda em **gênero** e **número** com o **sujeito**.

Os bombeiros **tinham salvado** as crianças.
Isto é: As crianças **tinham sido salvas** pelos bombeiros.
Resultado: As crianças **estavam salvas**.

Quando cheguei a casa alguém já **tinha acendido** as luzes.
Isto é: As luzes já **tinham sido acesas**.
Resultado: As luzes já **estavam acesas**.

A polícia **tem prendido** vários membros da quadrilha.
Isto é: Vários membros da quadrilha **têm sido presos**.
Resultado: Vários membros da quadrilha **estão presos**.

33.1. Complete as frases com **estar + particípio passado**, expressando o resultado da ação.

1. Já foi tudo combinado. Portanto, está tudo combinado.
2. A janela foi fechada. Portanto, a janela ______.
3. Os sapatos foram limpos. Portanto, ______.
4. Os alunos foram informados. Portanto, ______.
5. O quarto já foi arrumado. Portanto, ______.
6. O contrato foi assinado. Portanto, ______.
7. A encomenda foi entregue. Portanto, ______.
8. A resposta foi dada. Portanto, ______.
9. O carro foi consertado. Portanto, ______.
10. As contas já foram feitas. Portanto, ______.

33.2. Faça frases com **estar + particípio passado**.

1. Já paguei a conta. A conta está paga.
2. A empregada fez as camas. As camas ______.
3. Alguém acendeu as luzes. ______.
4. O professor já corrigiu os testes. ______.
5. A Ana arrumou a mesa. ______.
6. Ele abriu a porta. ______.
7. Já informei as pessoas. ______.
8. Ela aceitou a proposta. ______.
9. Ele entregou os documentos. ______.
10. Já sequei o cabelo. ______.

33.3. Transforme as frases destacadas em frases passivas com o auxiliar **estar + particípio passado**.

1. Quando me sentei, vi que **tinha rasgado a saia**.
   Quando me sentei, vi que a saia estava rasgada.
2. **Meu suéter de lã já foi lavado**? Preciso dele.
   Meu suéter de lã já está lavado? Preciso dele.
3. A máquina de lavar louça não funcionava. **Já foi consertada**?
   A máquina de lavar louça não funcionava. ______?
4. **O dentista** lhe **tratou os dentes**. Agora já não lhe doem mais.
   ______. Agora já não lhe doem mais.
5. Podem sair depois de **fazerem os exercícios**.
   Podem sair depois de ______.
6. A polícia anunciou que **tinham matado o chefe da quadrilha**.
   A polícia anunciou que ______.
7. **Já arrumei a mesa**. Venham jantar, meninos.
   ______. Venham jantar, meninos.
8. Quando os bombeiros chegaram ao local do incêndio, **todas as pessoas já tinham sido salvas**.
   Quando os bombeiros chegaram ao local do incêndio, ______.

se apassivador

◇ Usamos o <u>***se***</u> apassivador quando o sujeito da ativa é completamente **desconhecido**, **indeterminado** ou **irrelevante** para a informação contida na frase.

Publicou-se a notícia no jornal.
= A notícia foi publicada no jornal. (desconhece-se por quem)

No Brasil ***bebe-se*** muito café.
No Brasil, as pessoas bebem muito café.
= Muito café é bebido no Brasil. (por muitas pessoas)

Pode-se ver o vídeo no *YouTube*.
= O vídeo pode ser visto no *YouTube*. (por qualquer pessoa)

Marcou-se a reunião para amanhã às 9h.
= Marcaram a reunião para amanhã às 9h.
= A reunião foi marcada para amanhã às 9h. (não é relevante por quem)

Ouviram-se os gritos na rua.
= Os gritos foram ouvidos na rua. (por quem passava)

◇ O verbo – na voz ativa – conjuga-se na 3.ª pessoa, singular ou plural, concordando com a expressão nominal, sujeito da oração passiva, que vem sempre depois do verbo.

Fala-se <u>inglês</u>.
Compram-se <u>moedas antigas</u>.
Fizeram-se <u>três testes</u> durante o ano.

◇ A partícula <u>***se***</u> vem antes ou depois do verbo, segundo a regra de colocação dos pronomes.
(ver Unidade 15)

Aceitam-se cartões de crédito.
Não ***se aceitam*** cheques.
Já ***se sabe*** o nome do vencedor.

34.1. Faça frases com o **se** apassivador.

1. alugar / quartos
   Alugam-se quartos.
2. precisar de / motorista
   ________.
3. vender / apartamentos
   ________.
4. comprar / roupas usadas
   ________.
5. falar / francês
   ________.
6. dar / aulas particulares
   ________.
7. alugar / salas para congressos
   ________.
8. servir / café da manhã
   ________.
9. admitir /cozinheiras
   ________.
10. aceitar / cheques
    ________.

34.2. Transforme as frases na ativa em frases com o **se** apassivador.

1. No Brasil as pessoas veem muito televisão.
   No Brasil vê-se muito televisão.
2. No Norte as pessoas bebem água de coco.
   No Norte ________.
3. No Natal as pessoas comem peru à brasileira.
   No Natal ________.
4. Com o calor as pessoas trabalham menos.
   Com o calor ________.
5. Em junho as pessoas celebram as festas juninas.
   Em junho ________.
6. Para atravessar o rio as pessoas pegam o barco.
   Para atravessar o rio ________.

34.3. Transforme as frases na ativa em frases passivas com a palavra apassivadora **se**.

1. Inauguraram ontem a ponte.
   Inaugurou-se ontem a ponte.
2. Alugaram duas "vans" para o passeio.
   ________.
3. Antigamente compravam mais livros.
   ________.
4. Ultimamente têm construído muitas escolas.
   ________.
5. Reservaram as passagens para São Paulo.
   ________.
6. Fizeram obras no museu.
   ________.

34.4. Transforme as frases na passiva em frases com o **se** apassivador.

1. A alface é lavada e temperada em seguida.
   Lava-se a alface e tempera-se em seguida.
2. As batatas são cozidas e depois descascadas.
   ________.
3. Os ovos são batidos com açúcar.
   ________.
4. A carne é moída e depois misturada com o molho.
   ________.
5. O peixe é preparado e passado na farinha de rosca.
   ________.
6. O queijo é cortado e posto no pão.
   ________.

discurso direto e indireto

O João disse que **estava** doente e que não **ia** à escola.

Eles disseram que já **tinham visto** o filme.

Ele disse que **teria** muito prazer em trabalhar **com eles**.

		discurso direto	discurso indireto
tempos verbais		**presente**	**pretérito imperfeito**
		pretérito perfeito **pretérito perfeito composto**	**pretérito mais-que-perfeito composto**
		futuro do presente	**futuro do pretérito**
advérbios/ expressões de	lugar	**aqui**	**ali**
		cá	**lá**
	tempo	**ontem**	**no dia anterior**
		hoje	**nesse dia / naquele dia**
		amanhã	**no dia seguinte**
		na próxima semana	**na semana seguinte**
pessoais / possessivos		**1ª e 2ª pessoa**	**3ª pessoa**
demonstrativos		**este / esse**	**aquele**
		isto / isso	**aquilo**

No fim de semana passado, a Ana encontrou o João numa festa.

Verbos que introduzem o discurso indireto:
dizer / contar / perguntar / responder / querer / saber

O João perguntou à Ana se ela **tomava** uma bebida.

O João disse à Ana que a festa **estava** animada.

O João perguntou à Ana se ela **queria** dançar.

O João perguntou à Ana se **tinha visto** o Pedro.

O João contou à Ana que, ***na semana seguinte***, **ia** de férias para Búzios.

O João perguntou à Ana como **iam** as aulas ***dela***.

O João disse à Ana que **tinha entrado** na universidade e que **gostava** muito do curso ***dele***.

35.1. Ontem, à tarde, você encontrou a Paula, uma amiga sua, que lhe contou muitas coisas.

1. Estou morando na casa dos meus pais.
2. No próximo mês, vou mudar para um apartamento.
3. Vou me casar na próxima semana.
4. Não tenho tempo para preparar nada.
5. Tirei uns dias de férias para tratar de tudo o que é necessário.
6. Quer vir jantar na minha casa?
7. Meu futuro marido também irá ao jantar.
8. Ele trabalha com computadores.
9. Já fizemos os planos para a lua de mel.
10. Vamos fazer um cruzeiro pelo Mediterrâneo.
11. Partiremos logo após o casamento.
12. Claro que está convidada para a festa!

À noite, você está conversando com outra amiga e conta-lhe tudo o que a Paula disse.

1. A Paula me disse que estava morando na casa dos pais dela.
2. Ela disse que ______
3. Ela disse que ______
4. Ela se queixou que ______
5. Ela me contou que ______
6. Ela me perguntou se ______
7. Ela me disse que ______
8. Ela me contou que ______
9. Ela me disse que ______
10. Ela me disse que ______
11. Ela me contou que ______
12. Ela me disse que ______

35.2. Imagine que um amigo seu lhe diz uma coisa e que depois diz exatamente o contrário. Use os verbos de opinião como **pensar que** / **julgar que** para esclarecer.

1. — Este restaurante é caro.
   — Pensei que tinha dito que era barato.
2. — Não vou ao cinema.
   — Julguei que ______
3. — O filme foi bom.
   — ______
4. — A Ana gosta do João.
   — ______
5. — Eles vão se casar.
   — ______
6. — Nunca tomo café.
   — ______
7. — Não quero falar com eles.
   — ______
8. — Não posso ir à festa.
   — ______
9. — Hoje, à noite, fico em casa.
   — ______
10. — Fui reprovado no exame.
   — ______
11. — O empregado é simpático.
   — ______
12. — Paguei o almoço.
   — ______
13. — Gastei o dinheiro todo.
   — ______
14. — O Hugo também vem conosco.
   — ______

artigos definidos e indefinidos

artigos definidos

	masculino	feminino
singular	**o**	**a**
plural	**os**	**as**

artigos indefinidos

	masculino	feminino
singular	**um**	**uma**
plural	**uns***	**umas***

* No plural tem valor de **alguns, algumas** (indefinidos).

O Pedro tem **uma** irmã.

A irmã do Pedro se chama Ana.

O Sr. Ramos comprou **um** carro novo.

Os livros estão n**a** estante.

As colegas d**a** Joana vão a**o** cinema.

O carro d**o** Sr. Ramos tem ar condicionado.

◊ O **artigo**, **definido** e **indefinido**, precede o substantivo e concorda com ele em gênero e número.

◊ Usamos o **artigo definido** com:

- ☐ **nomes próprios** — **A** Carolina e **o** Diogo são amigos.
- ☐ **estações do ano** — **O** verão é a estação mais quente do ano.
- ☐ **datas festivas** — Eles passaram **o** Natal e **a** Páscoa com a família.
- ☐ **continentes** — Portugal é o país mais ocidental d**a** Europa.
- ☐ **nomes de países** — **O** Brasil, **os** Estados Unidos, **a** Guiné-Bissau, **a** Suíça, ...
- ☐ **alguns nomes de cidades** — **O** Rio de Janeiro, **o** Porto, **o** Funchal, ...
- ☐ **possessivos** — Este é **o** meu livro, **o** seu está ali.

◊ **Não** usamos o **artigo definido** antes de:

- ☐ **meses** — Estamos em janeiro.
- ☐ **datas** — É o dia 1.º de janeiro.
- ☐ **vocativos** — Olá, Pedro! Oi, Antônio!
- ☐ **alguns nomes de países** — Portugal, Angola, Moçambique, Cabo Verde, São Tomé e Príncipe, Marrocos, Israel, Cuba, Porto Rico, ...
- ☐ **nomes de cidades** — Lisboa, Paris, Londres, Madri, Maputo, Luanda, Macau, São Paulo, Nova Iorque, ...

36.1. Complete com os **artigos definidos**.

1. ______ lápis	11. ______ homem	21. ______ pai	31. ______ calças
2. ______ canetas	12. ______ mulher	22. ______ mãe	32. ______ casaco
3. ______ borracha	13. ______ senhor	23. ______ filho	33. ______ saia
4. ______ livros	14. ______ senhora	24. ______ filha	34. ______ vestido
5. ______ pasta	15. ______ rapaz	25. ______ irmão	35. ______ camisa
6. ______ cadeiras	16. ______ moça	26. ______ irmã	36. ______ sapatos
7. ______ mesa	17. ______ menino	27. ______ tio	37. ______ blusa
8. ______ quadro	18. ______ menina	28. ______ tia	38. ______ lenço
9. ______ janelas	19. ______ amigo	29. ______ avô	39. ______ gravata
10. ______ porta	20. ______ amiga	30. ______ avó	40. ______ cinto

36.2. Complete com os **artigos indefinidos**.

1. ______ árvore	4. ______ casa	7. ______ país	10. ______ viagem
2. ______ rua	5. ______ apartamento	8. ______ cidade	11. ______ passeio
3. ______ carro	6. ______ sobrado	9. ______ vila	12. ______ férias

36.3. Complete com os **artigos definidos** ou **indefinidos**.

1. O Rio de Janeiro é ______ cidade bonita.
2. Nunca visitei ______ Ásia.
3. Tenho ______ avó com 90 anos.
4. ______ primavera é a estação das flores.
5. Onde é que você vai passar ______ Carnaval?
6. Poderia me dar ______ informação, por favor?
7. Eles foram de férias para ______ Brasil.
8. ______ Pedro e ______ Ana são amigos.
9. Escrevi ______ carta para o Pedro, mas ele não recebeu ______ minha carta.
10. A França é ______ país da Comunidade Europeia.
11. Comprei ______ calças e ______ sapatos em saldo.
12. ______ férias de verão estão chegando.
13. Hoje vamos a ______ restaurante chinês.
14. Eles têm dois filhos: ______ menino e ______ menina.
15. ______ menino se chama Miguel e ______ menina se chama Cristina.
16. Queria ______ café, por favor.

Unidade 37

demonstrativos invariáveis; advérbios de lugar

demonstrativos invariáveis

◇ **Isto**, **isso**, **aquilo** são **demonstrativos invariáveis** e usam-se para pedir a identificação de objetos ou para identificar objetos.

Isto	é	um livro.
		uma caneta.
	são	livros.
		canetas.

— O que é **isto**?
— **Isso** é um livro.

(a)

Isso	é	um livro.
		uma caneta.
	são	livros.
		canetas.

— O que é **isso**?
— **Isto** é uma caneta.

(b)

Aquilo	é	um livro.
		uma caneta.
	são	livros.
		canetas.

— O que é **aquilo**?
— **Aquilo** é um carro.

(c)

☞

- ☐ **Isto** está perto da pessoa que fala (**eu**).
- ☐ **Isso** está perto da pessoa com quem se fala (**você**).
- ☐ **Aquilo** está afastado do **eu** e do **você**.

advérbios de lugar

◇ **Aqui**, **aí**, **ali**, **lá** são **advérbios** que indicam **lugar** e podem ser usados com os demonstrativos.

- ☐ **Aqui** indica que o objeto está perto da pessoa que fala. (**eu**) (a)
- ☐ **Aí** indica que o objeto está perto da pessoa com quem se fala. (**você**) (b)
- ☐ **Ali** ou **lá** indica que o objeto está afastado do **eu** e do **você**, isto é, da primeira pessoa "eu" e da segunda pessoa "você". (c)

37.1. Complete com **isto** / **isso** / **aquilo**.

1. ______ aqui é um livro.
2. ______ aí é uma cadeira.
3. ______ ali é uma porta.
4. ______ aí são canetas.
5. ______ ali é o quadro.
6. ______ aqui é o dicionário de português.
7. ______ aqui é uma pasta.
8. ______ ali é uma escola.
9. ______ aqui são lápis.
10. ______ aí é uma borracha.
11. ______ aqui são livros.
12. ______ aí é uma janela.

37.2. Complete as respostas com **isto** / **isso** / **aquilo**.

1. — O que é **isto**?
   — ______ são lápis de cor.
2. — O que é **aquilo**?
   — ______ são dicionários.
3. — O que é **isso**, Ana?
   — ______ são os livros de português.
4. — O que é **aquilo** ali?
   — ______ são DVD.
5. — O que é **isto**?
   — ______ é uma borracha.
6. — O que é **aquilo**?
   — ______ é a porta do colégio.
7. — O que é **isso** aí?
   — ______ é uma cadeira.
8. — O que é **aquilo** ali?
   — ______ é a escola do meu filho.
9. — O que é **isto** aqui?
   — ______ são óculos.
10. — O que é **isso**?
    — ______ são canetas.
11. — O que é **isto**?
    — ______ é o quadro da sala.
12. — O que é **isto**?
    — ______ são cadernos.

37.3. Responda às perguntas com **isto** / **isso** / **aquilo**.

1. — O que é isto? (livro)
   — Isso é um livro.
2. — O que é aquilo? (escola de português)
   — ______.
3. — O que é isto? (quadro da sala)
   — ______.
4. — O que é isso? (borracha)
   — ______.
5. — O que é isto? (canetas)
   — ______.
6. — O que é isto? (livros)
   — Isso são livros.
7. — O que é isso? (janela)
   — ______.
8. — O que é isto? (dicionário)
   — ______.
9. — O que é aquilo? (pasta da professora)
   — ______.
10. — O que é isso? (caneta)
    — ______.

demonstrativos variáveis

demonstrativos variáveis

singular	
masculino	**feminino**
este livro	**esta** caneta
esse livro	**essa** caneta
aquele livro	**aquela** caneta

plural	
masculino	**feminino**
estes livros	**estas** canetas
esses livros	**essas** canetas
aqueles livros	**aquelas** canetas

◇ Os demonstrativos variáveis

□ usam-se com os nomes, expressos ou omitidos.

Essa caneta não escreve. Use **esta**.
Este casaco é caro. **Aquele** é mais barato.

□ concordam em gênero e número com o nome a que se referem.

Aqueles livros são do Afonso.
Desculpe, **esta** é a Avenida Paulista?

◇ **Este(s)**, **esta(s)** indicam que o objeto a que se referem está perto da pessoa que fala (**eu**).

Esta revista aqui é minha.
Estes sapatos são muito confortáveis.
Estas flores são para você.

◇ **Esse(s)**, **essa(s)** indicam que o objeto a que se referem está perto da pessoa com quem se fala (**você**).

Essa cadeira aí está quebrada.
Esse lugar ao seu lado está livre?
Essas calças lhe ficam bem.

◇ **Aquele(s)**, **aquelas(s)** indicam que o objeto a que se referem está longe dos dois interlocutores (**eu** e **você**).

— Quem é **aquela** moça ali?
— **Aquela** é a irmã da Paula.
Aquele bar do outro lado da rua abriu ontem.

38.1. Complete com **este** / **esta** / **estes** / **estas**.

1. ____ pessoas	4. ____ casa	7. ____ sala	10. ____ mulher
2. ____ rapaz	5. ____ árvores	8. ____ quadro	11. ____ professor
3. ____ carro	6. ____ óculos	9. ____ livros	12. ____ moças

38.2. Complete com **esse** / **essa** / **esses** / **essas**.

1. ____ dicionário	4. ____ bolos	7. ____ escola	10. ____ flores
2. ____ canetas	5. ____ homens	8. ____ cadeiras	11. ____ rua
3. ____ café	6. ____ calças	9. ____ apartamento	12. ____ jardim

38.3. Complete com **aquele** / **aquela** / **aqueles** / **aquelas**.

1. ____ crianças	4. ____ alunos	7. ____ caneta	10. ____ país
2. ____ bicicleta	5. ____ borrachas	8. ____ pássaros	11. ____ cidades
3. ____ táxi	6. ____ filme	9. ____ lugar	12. ____ viagem

38.4. Complete com os demonstrativos variáveis.

1. — O que é isto? (bolo / de chocolate)
   — Isso é um bolo. *Esse bolo é de chocolate.*
2. — O que é aquilo? (flores / artificiais)
   — Aquilo são flores. ____
3. — O que é isso? (presente / para o professor)
   — Isto é um presente. ____
4. — O que é isto? (óculos / da Ana)
   — Isso são óculos. ____
5. — O que é aquilo? (supermercado / novo)
   — Aquilo é um supermercado. ____

38.5. Complete com **este(s)** / **esta(s)** / **esse(s)** / **essa(s)**.

1. *Essa* caneta não escreve.
   Use *esta*.
2. ____ dicionário não é bom.
   Pegue ____.
3. ____ óculos são muito escuros.
   Ponha ____.
4. ____ suéter não é quente.
   Vista ____.
5. ____ telefone não funciona.
   Use ____.
6. ____ raquete não é boa.
   Jogue com ____.
7. ____ bolo não está bom.
   Prove ____.
8. ____ batatas estão frias.
   Coma ____.
9. ____ vestido não é bonito.
   Compre ____.
10. ____ cerveja não está gelada.
    Beba ____.

possessivos

O celular do pai está na pasta **dele**.

possessivos

	1.ª e 2.ª pessoas			
	singular		plural	
possuidor	masculino	feminino	masculino	feminino
eu	**meu** (livro)	**minha** (caneta)	**meus** (livros)	**minhas** (canetas)
tu	**teu** (livro)	**tua** (caneta)	**teus** (livros)	**tuas** (canetas)
você / o senhor / a senhora	**seu** (livro)	**sua** (caneta)	**seus** (livros)	**suas** (canetas)
nós	**nosso** (livro)	**nossa** (caneta)	**nossos** (livros)	**nossas** (canetas)
vocês / os senhores / as senhoras	**seu** (livro)	**sua** (caneta)	**seus** (livros)	**suas** (canetas)

◇ Concorda em gênero e número com o nome a que se refere.

☐ antes do nome, quando expresso

Eu tenho um irmão e uma irmã. **Meu** irmão se chama João. **Minha** irmã se chama Ana.
De quem é esta caneta? É **sua**. A **minha** está na pasta.

Você tem um amigo francês e duas amigas inglesas. **Seu** amigo está em Manaus. **Suas** amigas estão em São Luís.

O Sr. Marques foi buscar o carro na garagem.
— **Seu** carro já está pronto. Aqui está **sua** chave, Sr. Marques.

Nós estamos na escola. **Nossa** escola é moderna. **Nossos** professores são muito simpáticos.

Encontrei **seus** pais no cinema.

— Aqueles são **seus** carros?
— Não. **Nossos** carros estão na garagem.

	3.ª pessoa	
possuidor	preposição *de*+pronome pessoal	
ele	(o livro; a caneta; os livros; as canetas)	**dele**
ela	(o livro; a caneta; os livros; as canetas)	**dela**
eles	(o livro; a caneta; os livros; as canetas)	**deles**
elas	(o livro; a caneta; os livros; as canetas)	**delas**

◇ Concorda em gênero e número com o possuidor.

☐ depois do nome, quando expresso

— De quem é esta caneta? É do Paulo?
— Sim, é a caneta **dele** e os lápis também são **dele**.
O Rui é primo da Mia e do Zé. É o primo **deles**.
A Márcia tem um vestido novo. Gosto muito do vestido **dela**.
A D. Alice é avó da Ema e da Lia, é a avó **delas**.

39.1. Responda às seguintes perguntas:

1. — De quem é esta bola? (eu)
   — É minha.
2. — De quem são estes óculos? (ele)
   — São dele.
3. — De quem é aquele dicionário? (vocês)
   — ______.
4. — De quem são estas flores? (eu)
   — ______.
5. — De quem é esse lápis? (você)
   — ______.
6. — De quem são estas revistas? (ela e ele)
   — ______.
7. — De quem são essas malas? (nós)
   — ______.
8. — De quem é este bolo? (ela)
   — ______.
9. — De quem são aquelas canetas? (eu e você)
   — ______.
10. — De quem é esta chave? (ele)
    — ______.
11. — De quem é este café? (você)
    — ______.
12. — De quem são estes chocolates? (eu e você)
    — ______.

39.2. Complete as seguintes frases:

1. Vi a Patrícia com o marido dela.
2. Vi o Sr. Marques com a mulher ______.
3. Vi a Ana com o namorado ______.
4. Vi o João e o Miguel com os pais ______.
5. Vi o Pedro com os filhos ______.
6. Vi a Joana e a Paula com os amigos ______.

39.3. Use os **possessivos**.

1. Nós temos um apartamento.
   É nosso apartamento.
2. Ele comprou uma máquina fotográfica.
   É a máquina fotográfica dele.
3. Você tem um carro.
   É ______.
4. Eu estudo numa escola particular.
   É ______.
5. Eu e você dormimos no mesmo quarto.
   É ______.
6. Ela comprou uma mala.
   É ______.
7. Você e o Pedro têm muitos amigos.
   São ______.
8. A Ana e a Paula já têm namorados.
   São ______.
9. Você tem muitas canetas.
   São ______.
10. O Sr. Marques está no escritório.
    É ______.
11. Vocês têm muitos livros.
    São ______.
12. Eu e meu irmão ainda temos avós.
    São ______.
13. Você tem uma casa nova.
    É ______.
14. Eles têm dois filhos.
    São ______.
15. Você e sua irmã têm um dicionário.
    É ______.
16. Nós temos uma filha.
    É ______.

interrogativos

como...?

— **Como** você se chama?
— Ana Ramos.

— **Como** é que está o tempo no Rio de Janeiro?
— Está muito calor.

— **Como** vai o senhor?
— Bem, obrigado.

— **Como** é a nova secretária?
— É alta, morena e muito simpática.

— **Como** é sua casa?
— É grande. Tem 6 cômodos.

— **Como** você vai para a escola?
— Vou de ônibus.

onde...? (local)

— **Onde** está minha caneta?
— Está em cima da mesa.

— **De onde** é?
— Sou de Belém.

— **Para onde** vão?
— Vamos para casa.

— **Por onde** vieram?
— Viemos pela ponte.

que...?

— **Que** horas são?
— É meio-dia.

— **Que** dia é hoje?
— Hoje é sexta-feira.

— **A que** horas chega o avião?
— Às 9h40.

— **Em que** ano você nasceu?
— Em 1944.

— **De que** cor é seu carro?
— É preto.

— **Por que** é que faltou às aulas?
— Porque estive doente.

qual / quais...?

— **Qual** é a profissão dele?
— É médico.

— **Quais** são seus livros? Estes ou aqueles?
— Aqueles ali.

quem...? (pessoas)

— **Quem** é aquela senhora?
— É a nova professora.

— **De quem** são esses livros?
— São meus.

— **Para quem** é que emprestou o dicionário?
— Para o João Carlos.

— **Para quem** é esse presente?
— É para minha namorada.

— **Com quem** você veio?
— Com meus pais.

quanto(s) / quanta(s)...?

— **Quanto** é uma passagem de ida e volta?
— São R$ 20,00.

— **Quanto tempo** demora a viagem?
— Três horas.

— **Há quanto tempo** está no ponto de ônibus?
— Há meia hora (30 minutos).

— **Quantos** anos tem?
— Tenho 15.

— **Quantas** cadeiras há na sala?
— Há 6 cadeiras.

quando...? (tempo)

— **Quando** é que vocês chegaram?
— Chegamos ontem à noite.

o quê?

— Ele foi despedido.
— **O quê?** Não acredito.

por quê?

— Afinal já não vou sair mais.
— **Por quê?**
— Estou doente.

o que...?

— **O que** é que fez no sábado?
— Fui à praia.

☞

Os interrogativos são frequentemente reforçados pela expressão de realce **é que**:

☐ antes do verbo que acompanha o interrogativo:

Onde **é que** mora?
Como **é que** se chama?

☐ depois do substantivo que acompanha o interrogativo:

Quanto tempo **é que** demora a operação?

40.1. Complete com **quantos / quantas / como / onde / qual / o que / de que cor / quanto tempo / quem / a que horas**.

1. — ______ é aquele rapaz?
   — É meu irmão.
2. — ______ começam as aulas?
   — Às 8h.
3. — ______ é a bandeira brasileira?
   — É verde, amarela, azul e branca.
4. — ______ é que está lendo?
   — Um romance.
5. — ______ é seu guarda-chuva?
   — É aquele.
6. — ______ demorou a viagem?
   — Demorou cerca de quatro horas.
7. — ______ anos tem a Joana?
   — Tem 18 anos.
8. — ______ vezes toma o remédio?
   — 3 vezes por dia.
9. — ______ foi a festa?
   — Foi ótima.
10. — ______ é que mora?
    — Em Teresópolis.

40.2. Faça perguntas para obter como resposta a parte destacada da frase.

1. Como foi a viagem? A viagem foi **cansativa**.
2. ______? Demoramos **seis horas**.
3. ______? Chegamos **por volta das 19h**.
4. ______? Fomos diretamente **para o hotel**.
5. ______? **Desfizemos as malas**.
6. ______? Jantamos **num pequeno restaurante**.
7. ______? Comemos **bife com batatas fritas**.
8. ______? Voltamos **a pé** para o hotel.
9. ______? A noite estava **quente**.
10. ______? Deitamo-nos cedo **porque estávamos cansados**.

40.3. Complete com:

onde / preposição + onde

1. — ______ fica o supermercado?
   — Na Avenida Nossa Senhora de Copacabana.
2. — ______ vão de férias?
   — Para Florianópolis.
3. — ______ vieram?
   — Pela rodovia Dutra (Rio-São Paulo).
4. — ______ é?
   — De Curitiba.

quem / preposição + quem

5. — ______ é que você encontrou?
   — O João e a Ana.
6. — ______ deu o recado?
   — À empregada.
7. — ______ são as flores?
   — Para minha mãe.
8. — ______ estão falando?
   — Da nova professora.

o que / que / preposição + que

9. — ______ é isso?
   — São postais.
10. — ______ horas são?
    — É meio-dia.
11. — ______ horas chega o trem?
    — Às 19h30.
12. — ______ ano foi a Proclamação da República?
    — Em 1889.

quanto / quantos / quantas

13. — ______ é que ganha?
    — R$ 1000,00.
14. — ______ alunos há na turma?
    — 30.
15. — ______ pessoas morreram?
    — 6.
16. — ______ é?
    — São R$ 2,50.

indefinidos

indefinidos variáveis

	singular		plural	
	masculino	feminino	masculino	feminino
pessoas ou coisas	**algum**	**alguma**	**alguns**	**algumas**
	nenhum	**nenhuma**		
	muito	**muita**	**muitos**	**muitas**
	pouco	**pouca**	**poucos**	**poucas**
	tanto	**tanta**	**tantos**	**tantas**
	todo	**toda**	**todos**	**todas**
	outro	**outra**	**outros**	**outras**

algum / nenhum

— Há **algum** lugar livre?
— Não, não há **nenhum**.

Alguns alunos não puderam vir.

muito / pouco

A avó tem **muita** paciência com as crianças.
Ele tem **pouca** paciência.

— Você já leu **muitos** livros em português?
— Ainda não, por enquanto li **poucos**.

tanto

Há **tanta** gente desabrigada no Rio de Janeiro.
Tenho **tantos** problemas para resolver.

todo

Vou à escola **todos** os dias.
Todos meus amigos vieram à festa.
Vamos jantar. **Toda** gente está com fome.

outro

O vestido rasgou. Vou comprar **outro**.
A secretária foi despedida. Vamos contratar **outra**.

indefinidos invariáveis

pessoas	**alguém**	**ninguém**
coisas	**tudo**	**nada**

alguém / ninguém

— Há **alguém** no escritório?
— A esta hora <u>*não*</u> há **ninguém** lá.

Alguém quebrou o vidro.
Ninguém me disse o que se passava.

tudo / nada

Ele comeu **tudo**: a salada, o bife com arroz e a fruta.
Sem os óculos <u>*não*</u> vejo **nada**.

41.1. Complete com os **indefinidos variáveis** e **invariáveis**.

1. — Encontrou alguém no bar?
   — Não, não encontrei ninguém.
2. — ________ está nos chamando.
   — Onde? Não vejo ________.
3. — Bebeu o leite ________?
   — Já bebi ________. Não quero mais ________.
4. — Entendeu ________ coisa?
   — Não, não entendi ________.
5. — Fez os exercícios ________?
   — Fiz ________ sozinha.
6. — Tem ________ amigo no Brasil?
   — Não, não tenho ________ amigo.

41.2. Complete com os **indefinidos variáveis** e **invariáveis**.

1. Saiu sem dizer absolutamente ________.
2. Depois da festa estivemos arrumando ________.
3. Ela vai à escola ________ os dias.
4. Fiquei o dia ________ em casa.
5. As crianças desarrumaram o quarto ________.
6. A Fabienne está estudando no Brasil e já tem ________ amigas brasileiras.
7. ________ os anos trocam de carro.
8. Tenho ________ dinheiro. Por isso, não vou de férias.
9. ________ me roubou a carteira.
10. Perdi o dinheiro ________. Procurei em ________ parte, mas não encontrei ________.
11. Não tenho ________ em casa. Tenho que ir fazer compras.
12. Esta caneta não escreve. Preciso de ________.
13. Este cineasta é desconhecido. ________ o conhece.
14. Ela é famosíssima. ________ gente a conhece.
15. ________ empregados não vieram. Da fábrica, não veio ________.

41.3. Complete com os **antônimos dos indefinidos** destacados, fazendo as alterações necessárias.

1. Há **alguém** nos esperando?
   Não há ninguém nos esperando?
2. Ele comeu **tudo**.
   Ele não comeu nada.
3. Encontramos **muitas** pessoas conhecidas.
   Encontramos poucas pessoas conhecidas.
4. Há **alguma** sala livre?
   ________?
5. Há **alguém** no escritório?
   ________?
6. Ela arrumou **tudo**.
   ________.
7. Deram-lhe **algumas** informações?
   ________?
8. Ele bebe **muito** leite.
   ________.
9. Há **algum** feriado este mês?
   ________?
10. As crianças desarrumaram **tudo**.
    ________.
11. Amanhã tenho **algum** tempo livre.
    ________.
12. **Muita** gente os conhece.
    ________.
13. Visitamos **alguns** locais de interesse cultural.
    ________.
14. Hoje tive **muito** trabalho.
    ________.
15. **Alguém** ligou enquanto estive fora?
    ________?
16. O João acha que sabe **tudo**.
    ________.

relativos

relativos invariáveis

antecedente	
pessoas e / ou coisas	**que**
pessoas	**quem**
lugares	**onde**

◇ Os relativos fazem referência a pessoas, coisas ou lugares que os antecedem.
- ☐ o relativo **quem** está geralmente precedido de uma preposição.
- ☐ o relativo **onde** exprime uma circunstância de lugar.

que

As pessoas eram muito simpáticas. Conhecemos as pessoas na festa. *2 frases*
As pessoas **que** conhecemos na festa eram muito simpáticas. *1 frase*

Encontrei uma amiga. Não a via há muito tempo. *2 frases*
Encontrei *uma amiga* **que** não via há muito tempo. *1 frase*

O filme ganhou 4 óscares. Vamos vê-lo hoje. *2 frases*
O filme **que** vamos ver hoje ganhou 4 óscares. *1 frase*

Viu a mala? A mala estava em cima da cadeira. *2 frases*
Viu *a mala* **que** estava em cima da cadeira? *1 frase*

quem

O professor vai à excursão. Estivemos falando com ele. *2 frases*
O professor **com quem** estivemos falando vai à excursão. *1 frase*

onde

O restaurante era ótimo. Nós fomos lá. *2 frases*
O restaurante **onde** fomos era ótimo. *1 frase*

relativos variáveis

antecedentes	singular		plural	
	masculino	feminino	masculino	feminino
pessoas e / ou coisas	**o qual**	**a qual**	**os quais**	**as quais**
	cujo	**cuja**	**cujos**	**cujas**

◇ Os relativos **o/a qual**, **os/as quais** concordam em gênero e número com o antecedente e geralmente são usados precedidos de preposição.

o qual

O teste correu bem. Estudei muito para o teste. *2 frases*
O teste **para o qual** estudei muito correu bem. *1 frase*

Os amigos chegam amanhã. Falei deles. *2 frases*
Os amigos **dos quais** lhe falei chegam amanhã. *1 frase*

◇ Os relativos **cujo(s)**, **cuja(s)** indicam posse e concordam em gênero e número com o substantivo que precedem.

cujo

Fomos a um restaurante. O dono do restaurante é um amigo nosso. *2 frase*
Fomos a um restaurante **cujo** *dono* é um amigo nosso. *1 frase*

Meu avô vive sozinho. A mulher dele morreu há um ano. *2 frases*
Meu avô, **cuja** *mulher* morreu há um ano, vive sozinho. *1 frase*

42.1. Complete com **que** / **quem** / **onde**.

1. Gosto muito da casa onde moro.
2. O João é um amigo ______ já me ajudou muito.
3. O rapaz de ______ lhe falei vem aqui hoje.
4. Os livros ______ você precisa estão todos na biblioteca.
5. O hotel ______ ficamos era ótimo.
6. Os sapatos ______ comprei não são confortáveis.
7. Ela não recebeu a carta ______ eu lhe escrevi.
8. Já viu as fotografias ______ a Ana tirou?
9. O professor com ______ tivemos aulas vai embora amanhã.
10. O Rio de Janeiro é a cidade ______ se vai realizar a Copa do Mundo de Futebol em 2014.

42.2. Substitua o relativo invariável pela forma variável correspondente.

1. O ônibus **em que** viajamos tinha ar condicionado.
   O ônibus no qual viajamos tinha ar condicionado.
2. O vizinho **com quem** costumo almoçar vai mudar de casa.
   ______.
3. A reunião **para que** fomos convocados foi adiada.
   ______.
4. O campeonato **em que** eles participam começou ontem.
   ______.
5. Os jogadores **de que** todos falam deixaram o clube.
   ______.
6. O *show* **a que** assistimos acabou muito tarde.
   ______.

42.3. Substitua a parte destacada pelo relativo **cujo(s)**, **cuja(s)**.

1. A moça **de olhos azuis** é irmã da Ana.
   A moça, cujos olhos são azuis, é irmã da Ana.
2. O quarto **com as paredes cor de rosa** é o mais bonito.
   ______.
3. Os alunos **com os melhores resultados** ganharam uma bolsa de estudo.
   ______.
4. Os jogadores de futebol **com a camiseta listrada** são do time adversário.
   ______.
5. O dicionário **de capa vermelha** é o de português.
   ______.
6. O homem **de paletó preto** é meu professor.
   ______.

42.4. Ligue as duas frases com um **relativo**.

1. Os produtos são para exportação. Os produtos são feitos nesta fábrica.
   Os produtos que são feitos nesta fábrica são para exportação.
2. O Rio de Janeiro é uma cidade em festa na noite de 20 de janeiro. O seu padroeiro é São Sebastião.
   ______.
3. O empregado era muito simpático. Nós falamos com ele.
   ______.
4. Passei no exame. Estudei muito para o exame.
   ______.
5. Qual é o nome do hotel? Nós ficamos no hotel.
   ______.
6. A senhora ainda está no estrangeiro. Aluguei a casa à senhora.
   ______.
7. A história era mentira. Eles contaram a história.
   ______.
8. Isso é uma afirmação. Eu não concordo com ela.
   ______.
9. Viu o dinheiro? O dinheiro estava em cima da mesa.
   ______.
10. O médico era muito competente. Ele me atendeu.
   ______.

Unidade **43**

pronomes pessoais complemento verbal objeto direto

objeto direto

eu	***me***
tu	***te***
você ele ela	***o, a***
nós	***nos***
vocês eles elas	***os, as***

— A Ana vai à festa?
— Vai. Eu ***a*** convidei.

— O senhor pode levar as revistas. Já ***as*** li.

— Não consigo levantar o caixote. Ajude-***me***.
— Ajudo-***o*** já. É só um minuto.

— Encontrou o Pedro?
— Não, não ***o*** encontrei.

— Onde é que você tem os ingressos? Perdeu-***os***?
— Não, eu ***os*** guardei na mala.

— Você pode ***nos*** levar para casa?
— Claro que ***os*** levo.

formas verbais terminadas em	3.ª pessoa
-r	**-lo** **-la** **-los** **-las**

Vou convidar os meus amigos.
Vou convidá-**los**.
Vou ver este filme.
Vou vê-**lo**.
Vou beber o leite.
Vou bebê-**lo**.
Vou abrir a carta.
Vou abri-**la**.
Vou pôr o chapéu.
Vou pô-**lo**.

formas verbais terminadas em	3.ª pessoa
-m	**-no** **-na** **-nos** **-nas**

Coma***m*** os bolos.
Comam-**nos**.
Abram a porta.
Abram-**na**.

Comprem o livro.
Comprem-**no**.
Ponham os óculos.
Ponham-**nos**.

43.1. Complete com as formas corretas dos **pronomes**.

1. Eu conheço a Ana e a Ana me_____ conhece.
2. Você conhece a Ana e a Ana _____ conhece.
3. Ela conhece a Ana e a Ana _____ conhece.
4. Ele conhece a Ana e a Ana _____ conhece.
5. Nós conhecemos a Ana e a Ana _____ conhece.
6. Vocês conhecem a Ana e a Ana _____ conhece.
7. Eles conhecem a Ana e a Ana _____ conhece.
8. Elas conhecem a Ana e a Ana _____ conhece.

43.2. Substitua o **objeto direto** pelo **pronome correspondente** e faça as alterações necessárias.

1. Fomos buscar ***os nossos amigos*** na estação.
Fomos buscá-los na estação.
2. Quero ver a ***Inês***.
_____.
3. Não comam ***o bolo*** todo.
_____.
4. Pode guardar ***a revista***. Já li ***a revista***.
_____.
5. Vou pôr ***o frango*** no forno.
_____.
6. Vou abrir ***a porta***.
_____.
7. Fechem ***a porta*** à chave.
_____.
8. Ajude-me a levantar ***o caixote***.
_____.
9. Façam bem ***as camas***.
_____.
10. Ponham ***os livros*** na pasta.
_____.
11. Vamos convidar ***os professores***.
_____.
12. Levem ***o João e a Ana*** no carro.
_____.
13. Encontrou ***o meu irmão***?
_____.
14. Deixei ***a carteira e os documentos*** na escola.
_____.
15. Faça ***os exercícios*** em casa.
_____.
16. Gostei de ouvir ***o vice-presidente***.
_____.
17. Aqueçam ***o leite***.
_____.
18. Tenho que ler ***os relatórios***.
_____.
19. Quero convidar ***Maria*** para jantar.
_____.
20. Muito prazer em conhecer ***os senhores***.
_____.

43.3. Complete com a forma correta do **pronome**.

1. Ajude-me_____ a fazer o exercício. Sozinho não consigo.
2. Nós também vamos à festa. O Paulo _____ convidou.
3. Se não tem carona, eu _____ levo para casa.
4. Ele não falou com vocês? Então é porque não _____ conhece.
5. Quando estive no hospital, eles foram lá _____ ver.
6. Assinei o contrato. Já _____ assinei hoje de manhã.
7. Li a poesia, e não _____ achei difícil.
8. Queria umas bananas, mas não _____ quero muito maduras.
9. Vocês não me viram, mas eu _____ vi na porta do cinema.
10. Não encontro os meus óculos. Não sei onde _____ pus.

Unidade **44**

pronomes pessoais complemento verbal objeto indireto; objeto indireto e objeto direto

	objeto indireto
eu	***me***
tu	***te***
você ele ela	***lhe***
nós	***nos***
vocês eles elas	***lhes***

Meus amigos ***me*** mandaram uma mensagem.

Eu ***lhe*** escrevi um e-mail.

— O que é que ***nos*** perguntou?
— Perguntei-***lhes*** se vocês estão em casa hoje à noite.

Ofereci-***lhe*** um ramo de flores e ela gostou muito.

A Maria não foi à festa, porque não ***lhe*** disseram nada.

Escrevo-***lhes*** uma carta.

◊ Quando os Complementos Verbais Objeto Direto (CVOD) e Objeto Indireto (CVOI) estão expressos, o CVOD aparece sempre antes do CVOI.

Dei o livro à Ana.
CVOD CVOI

◊ Quando um dos complementos é pronome, este vem em primeiro lugar.

Dei-o à Ana.

Dei-lhe o livro.

44.1. Complete com as formas corretas dos **pronomes**.

1. (**Eu** preciso de um dicionário). Quem pode me emprestar um?
2. (**Você** precisa de R$ 4,98). Vou ______ emprestar R$ 4,98.
3. (**Você** quer informações). Vou ______ enviar informações.
4. (Quem vai fazer um café para **nós**?). Maria vai ______ fazer um café.
5. (**A Joana** precisa de uma saia). Eu vou ______ comprar uma saia.
6. (**Nós** recebemos a carta). Ela ______ escreveu uma carta.
7. (O chefe deu mais trabalho para **eles**?). Sim, ele ______ deu mais trabalho.
8. (**Elas** querem conhecer a Ana). Eu vou ______ apresentar a Ana.
9. (Quem explicou o problema para **você**?). Ninguém ______ explicou o problema.
10. (**Elas** gostaram do bolo). Eu vou ______ servir mais bolo.

44.2. Substitua o **objeto direto** e o **indireto** pelo pronome correspondente.

1. O Pedro emprestou **as revistas à Ana**.
   O Pedro emprestou-as à Ana.
   O Pedro emprestou-lhe as revistas.
2. Vou mostrar **o quarto ao Rui**.
   ______.
   ______.
3. Ele ofereceu **os ingressos ao Carlos**.
   ______.
   ______.
4. Já dei **as informações ao Sr. Oliveira**.
   ______.
   ______.
5. Eles contaram **a história ao João**.
   ______.
   ______.
6. Mandei a **encomenda à Dona Maria**.
   ______.
   ______.
7. Dei **o presente ao professor**.
   ______.
   ______.
8. Entregou **os livros ao aluno**?
   ______?
   ______?
9. Já pagou **o aluguel ao proprietário**?
   ______?
   ______?
10. Mostraram **o apartamento à Ana**.
   ______.
   ______.
11. Emprestei **o dicionário ao seu irmão**.
   ______.
   ______.
12. Só contei **a conversa para você**.
   ______.
   ______.

Unidade **45**

preposições + pronomes pessoais

preposição + pronomes pessoais

	preposição *com* + pronome	outras preposições + pronome	
eu	***comigo***	de a sem até por para …	***mim***
tu	***contigo***		***ti***
você o senhor* a senhora*	***com você***		***você***
ele	**com ele**		**ele**
ela	**com ela**		**ela**
nós	***conosco***		**nós**
vocês os senhores* as senhoras*	**com vocês**		**vocês**
eles	**com eles**		**eles**
elas	**com elas**		**elas**

**Com você(s)* é informal; no tratamento formal usa-se *com o(s) senhor(es) / com a(s) senhor(as).*

— Vai ***comigo*** à festa?
— Sim, vou ***com você***.

Espere por **mim**. Desço ***com você*** no elevador.

— Meus senhores, posso contar ***com vocês*** para a inauguração?
— Claro. Conte ***conosco***.

— Trouxe este presente para **você**.
— Para ***mim***? Muito obrigada.

Estivemos falando de **você** / **da senhora** esta manhã, D. Fátima.

— Tem visto a Joana?
— Falei **com ela** na semana passada.

Eles moram perto de **nós**.

45.1. Complete com a forma correta do **pronome**.

Isto é para
- ______. (eu)
- ______. (vocês)
- ______. (você)
- ______. (eu + a Ana)
- ______. (eu + você)
- ______. (ele + ela)

45.2. Complete com a forma correta do **pronome**, contraído ou não, com a preposição **com**.

O João quer falar
- ______. (eu)
- ______. (vocês)
- ______. (você)
- ______. (Ana)
- ______. (eu + o Pedro)
- ______. (ele + ela)

45.3. Complete com a forma correta do **pronome**, contraído ou não, com a preposição **com**.

1. — Também vem ______? (nós)
   — Vou, vou ______. (vocês)
2. — O chefe quer falar ______, Sr. Rocha.
   — Vou já falar ______. (ele)
3. Hoje não vou sair ______. (eles) Podem contar ______ (eu) para o jantar.
4. Precisava conversar ______. (Sr. Rocha e Sr. Silva)
5. Ninguém falou ______ (eu) sobre esse assunto.
6. — Quem é que vai ______ (vocês) no carro?
   — A Ana vai ______ (nós) e o João tem que ir ______. (você)
7. Ontem, à noite, sonhei ______. (você)
8. Ficamos ______ (ele) até à meia-noite.
9. — Posso contar ______ (Sr.ª Maria) para a inauguração?
   — Claro. Conte ______. (eu)
10. — Gostaria de encontrar ______ (o senhor e a senhora) para discutir a sua proposta.

45.4. Complete com a forma correta do **pronome**.

1. — Esperem por ______. Estou quase pronto.
   — Só esperamos por ______ mais cinco minutos, João.
2. Não posso começar a reunião sem ______. Por isso, não se atrase.
3. Trouxe estas flores para ______, D. Margarida.
   — Para ______? Muito obrigada.
4. Estiveram falando sobre ______ e a minha situação na empresa.
5. Chegou esta encomenda para ______, Sr. Oliveira.
6. Moro perto de ______. Agora somos vizinhos.
7. Ultimamente tenho pensado em ______ e no que me disse.
8. Lembra-se de ______? Estivemos na mesma escola.
9. Ele conheceu a Rita e apaixonou-se logo por ______.
10. Mentiu-me. Já não acredito em ______.

preposições e locuções prepositivas de lugar

a (à(s), ao(s))

Ela está sentada **à** janela.

— O banheiro é **à** direita ou **à** esquerda?
— É no fundo do corredor **à** direita.

À sombra se está bem, **ao** sol está muito calor.

em (na(s), no(s))

□ **local**
Moro **em** São Paulo, na Avenida Paulista.
À noite, fico sempre **em** casa.

□ **em cima de**

Os livros estão **na** mesa.
Há muito pó **no** chão.

□ **dentro de**

Pus o dinheiro **no** bolso da calça.
Não fiquem muito tempo **na** água.
Ele está **no** quarto. Está deitado **na** cama.

em cima de (da(s), do(s))

Arrumei as malas **em cima do** armário.
Sua pasta está **em cima da** cadeira.

dentro de (da(s), do(s))

Os livros estão **dentro da** pasta.
Está muito calor **dentro do** ônibus.

embaixo / debaixo de (da(s), do(s))

A bicicleta está **embaixo da** escada.
O gato está **debaixo da** mesa.

ao lado de (da(s), do(s))

A livraria fica **ao lado da** escola.
Ela se senta sempre **ao lado do** João.

em frente de (da(s), do(s))

O supermercado fica **em frente do** restaurante.

na frente de (da(s), do(s))

O Pedro está **na frente do** Rui.

atrás de (da(s), do(s))

O Rui está **atrás do** Pedro.
O quadro está **atrás da** professora.

entre

O João está **entre** a Ana e o Pedro.
Encontrei uma blusa muito bonita **entre** as roupas velhas da avó.

perto de (da(s), do(s))

A escola fica **perto de** casa.
A jarra de água está **perto dos** copos.

46.1. Complete com **a / na frente de / ao lado de / debaixo de / dentro de / em / em frente de / entre** (contraídas ou não com o artigo).

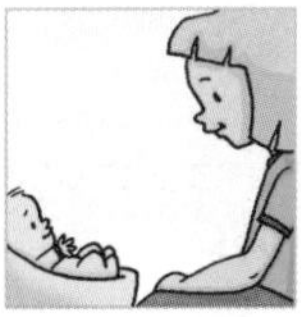

1. Ela está sentada _____ bebê.

2. O táxi vai _____ ônibus.

3. O passarinho está _____ gaiola.

4. Ele está _____ carro.

5. O Rio fica _____ Vitória e São Paulo.

6. Ela está tomando banho _____ piscina.

7. Eles se encontraram _____ porta do cinema.

8. A cadeira está _____ sofá.

46.2. Observe a gravura e complete as frases com **preposições** e **locuções** (contraídas ou não com o artigo).

1. O Pedro e a Ana estão _____ sala de estar.
2. A televisão está _____ sofá.
3. O Pedro está sentado _____ sofá.
4. O gato está _____ mesa.
5. O cesto das revistas está _____ chão, _____ sofá.
6. O Pedro está com os pés _____ cadeira.
7. Os quadros estão _____ parede.
8. A Ana está em pé _____ janela.
9. O jornal está _____ mão do Pedro.
10. Os livros estão _____ estante.
11. Os DVD estão _____ armário.
12. O sofá está _____ as cadeiras.
13. O abajur está _____ Ana.
14. O bebê está sentado _____ mesa.
15. O cachorro está _____ avó.
16. O vaso está _____ mesa.

46.3. Observe a fotografia e complete as frases com **preposições** e **locuções** (contraídas ou não com o artigo).

1. O avô Antônio está de pé _____ esquerda.
2. A Dona Helena está em pé _____ o avô e o marido, o Afonso.
3. O Afonso está em pé _____ direita.
4. O João está sentado _____ esquerda, _____ avô.
5. A Ana está sentada _____ o João e o Pedro.
6. O Pedro está sentado _____ direita, _____ pai, o Afonso.
7. O avô Antônio está _____ João.
8. O Afonso está em pé _____ mulher, a Dona Helena.
9. A Dona Helena está em pé _____ Ana.
10. O João está sentado _____ irmã, a Ana.

preposições de movimento

a

contrações	
a + a = à	a + as = às
a + o = ao	a + os = aos

☐ **ir / vir / voltar**... (curta permanência)

Ontem, **fui ao** cinema.
É meio-dia. Eles **vão à** cantina almoçar.
Ele **vai à** escola todos os dias.
Vou aos Correios comprar selos.

☐ **a pé**

Gosto muito de andar **a pé**.

para

☐ **ir / vir / voltar**... (longa permanência)

Ele **vai para** a Inglaterra estudar inglês.
Ele **volta para** o Brasil dois anos depois de estudar na França.
São seis da tarde. **Vou para** casa.

☐ **direção / destino** ——▸●

Este ônibus **vai para** Belo Horizonte.
O trem **para** São Paulo parte às 20h.
Vou para a escola.

por

contrações	
por + a = pela	por + as = pelas
por + o = pelo	por + os = pelos

☐ **através de** —●—▸

Eles foram **pela** ponte.
O senhor vai **por** esta rua, **pela** calçada do lado direito.
Andamos passeando **pelo** Parque do Flamengo.
Mandei a carta **por** avião.

☐ **perto de**

Esse ônibus passa **pelo** hospital.
A estrada nova passa **por** minha fazenda.

de

contrações	
de + a = da	de + as = das
de + o = do	de + os = dos

☐ **origem ou proveniência** (**sair / vir / voltar**)

Saí de casa às 8h.
Voltaram da festa muito cansados.
Meu marido **vem** hoje **de** Manaus.

☐ **meios de transporte**

Para o centro da cidade vou **de** metrô.
De táxi é mais rápido.
Eles vão **de** ônibus para o trabalho.
Gosto muito de viajar **de** avião.

em + artigo

contrações	
em + a = na	em + as = nas
em + o = no	em + os = nos

☐ **meios de transporte** (determinado)

O Sr. Oliveira vai **no** ônibus das 7h30.
Prefiro voltar **no** avião da TAM.
Querem ir **no** meu carro?
Posso andar **na** sua bicicleta?

47.1. Complete com **a** (contraído ou não com o artigo) ou **para**.

1. Vou ______ casa buscar o casaco e volto já.
2. Quem é que vai ______ supermercado?
3. Já não há mais pão. É preciso ir ______ padaria.
4. Depois das aulas vou ______ casa.
5. Vamos ______ cinema?
6. O Peter volta ______ Inglaterra no próximo mês.
7. Prefiro ir ______ pé ______ a praia.
8. Minha mãe foi ______ Rio de Janeiro visitar uns amigos.
9. Minha mãe foi ______ Palmas visitar uns amigos.
10. O Fred foi ______ Estados Unidos para estudar.

47.2. Complete com **para** ou **por** (contraído ou não com o artigo).

1. O ônibus ______ Porto Alegre vai ______ estrada.
2. Eles vieram ______ ponte, porque é mais rápido.
3. Esse ônibus passa ______ minha escola.
4. Andaram ______ museu vendo tudo.
5. Ela vai estudar ______ a França e volta ______ o Brasil dois anos depois.
6. — Como é que se vai ______ o Consulado da França?
   — Vá ______ esta rua, ______ calçada do lado esquerdo e vê logo o Consulado.
7. Quando vou ______ casa, vou sempre ______ Avenida Atlântica.
8. Os carros passam ______ túnel velho.
9. Eles foram ______ o aeroporto, mas antes passaram ______ hotel.
10. Todos os anos vamos de férias ______ Porto Seguro (Bahia).

47.3. Complete com **de** (contraído ou não com o artigo) ou **em** (contraído com o artigo).

1. Fomos ______ ônibus e voltamos ______ avião.
2. Quer andar ______ minha moto nova?
3. Os turistas gostam de passear ______ bonde em Santa Tereza.
4. Nós vamos ______ carro do João e vocês vão ______ táxi.
5. Ontem saí ______ escritório muito tarde.
6. Eles chegam hoje ______ Brasil. Vêm ______ avião das 7h.
7. Daqui para Copacabana tem de ir ______ ônibus n.° 523.
8. Voltamos ______ Rio de Janeiro ______ avião da ponte aérea das 10h.
9. Está muito bronzeada. Vem ______ praia?
10. Saiu ______ ônibus e pegou um táxi.

47.4. Faça frases, conjugando os verbos e usando as preposições contraídas ou não com o artigo.

1. (eu / ir / carro / emprego)
   Eu vou de carro para o emprego.
2. (o João / ir / escola / pé)
   ______
3. (nós / ir / carro dele)
   ______
4. (eles / voltar / São Luís / avião das 20h30)
   ______
5. (eu / sair / casa / 8h)
   ______
6. (eles / ir / praia / táxi)
   ______

preposições de tempo

a

☐ **dias da semana** (ação habitual)	**Ao(s)** sábado(s) jantam sempre fora.
☐ **horas**	As aulas começam **às** 9h. Almoçamos **ao** meio-dia (12h). A festa acabou **à** meia-noite (24h).
☐ **partes do dia**	Ligue-me **à** noite. **À** tarde nunca estou em casa.

de

☐ **datas**	Ele nasceu no dia 20 **de** fevereiro **de** 1980. Faço aniversário no dia 15 **de** fevereiro.
☐ **de ... a**	O ano letivo é **de** fevereiro **a** dezembro. Vocês têm aulas **das** oito **ao** meio-dia.
☐ **parte do dia**	**De** manhã eles estão na escola. São dez **da** manhã. Almoçamos à uma **da** tarde e jantamos às oito **da** noite.

em

☐ **datas** (com "dia")	Tiro férias **no dia** 1.º de julho.
☐ **dias da semana** (ação pontual)	**No** sábado, vamos a uma festa de aniversário.
☐ **épocas festivas**	**No** Natal e **na** Páscoa, eles vêm sempre ao Rio de Janeiro.
☐ **estações do ano**	**No** inverno, chove muito na Bahia.
☐ **meses**	Os exames são **em** dezembro.
☐ **anos**	Pedro Álvares Cabral chegou ao Brasil **em** 1500.
☐ **séculos**	A ilha de São Luís foi descoberta **no** século XVII.

para

☐ **localização temporal**	Preciso das cartas prontas **para** as 18h. Quero o relatório pronto **para** a próxima semana.
☐ **horas**	São dez **para** as cinco (16h50).

por

☐ **tempo aproximado**	O *show* deve acabar lá **pelas** dez da noite.
☐ **período de tempo**	Pode ficar com o livro **por** uma semana. Empresto-lhe o dinheiro **por** uns dias.

48.1. Preencha com **a**, **de** ou **em** (contraídos ou não com o artigo).

1. ___ 10 ___ agosto.
2. ___ nove ___ noite (21h).
3. ___ próxima semana.
4. ___ fim de semana passado.
5. ___ véspera de Natal.
6. ___ férias ___ verão.
7. ___ tarde.
8. ___ meio-dia (12h).
9. ___ julho ___ 1990.
10. ___ fim ___ ano.
11. ___ uma hora ___ tarde (13h).
12. ___ dias ___ março.
13. ___ primavera.
14. ___ maio.
15. ___ manhã.
16. ___ cinco ___ tarde (17h).
17. ___ meia-noite (24h).
18. ___ Páscoa.
19. ___ 1994.
20. ___ oito ___ manhã (8h).
21. ___ quatro e meia (16h30).

48.2. Complete com **para** ou **por** (contraído ou não com o artigo).

1. Alugamos a casa ___ dois meses.
2. A chegada do avião está prevista ___ as 14h35.
3. A reunião foi adiada ___ sábado.
4. Pode ficar em minha casa ___ uns dias.
5. São cinco ___ as seis (17h55).
6. Eles disseram que voltavam lá ___ sete da tarde (19h).
7. O carro está na garagem. Vou ficar sem ele ___ uma semana.
8. Foi eleito presidente do clube ___ 2 anos.

48.3. Complete com **a** ou **em** (contraídos com o artigo).

1. ___ domingos almoçamos sempre fora.
2. ___ domingo passado almoçamos em casa.
3. ___ sexta-feira ___ noite costumamos ir ao cinema.
4. ___ próxima sexta-feira temos uma festa de aniversário.
5. Temos aula de História ___ segundas-feiras, mas ___ próxima segunda não temos, porque vamos visitar um museu.
6. Eles têm jogo de futebol ___ sábados.
7. ___ próximo sábado é feriado. Por isso, não há jogo.

48.4. Complete com **a**, **de** ou **em** (contraídos ou não com o artigo).

1. O concerto começou ___ dez ___ noite (22h) e acabou ___ meia-noite (24h).
2. Ela trabalha muito durante a semana. Por isso, ___ fins de semana gosta de descansar.
3. A independência do Brasil foi ___ 1822.
4. Almoçamos ___ uma hora (13h) e jantamos ___ oito (20h).
5. Costumo fazer compras ___ sábados ___ manhã.
6. O curso começa ___ dia 5 ___ janeiro e termina ___ dia 30 ___ março.
7. ___ dia ___ Natal a família se reúne em casa da avó.
8. A maioria das pessoas tira férias ___ verão, mais precisamente ___ fevereiro.
9. Tenho aulas todos os dias: ___ segunda ___ sexta.
10. O caminho marítimo para as Índias foi descoberto pelos portugueses ___ século XV.

Unidade 49

verbo + preposição

verbo + a

abraçar-se	Quando viu o irmão, **abraçou-se a** ele.
agarrar-se	**Agarre-se ao** corrimão para descer as escadas.
encostar-se	**Encostei-me à** parede para não cair.
habituar-se	**Habituei-me a** beber café sem açúcar.
responder	Por favor, **responda a** esse e-mail.
regressar	Estudou em Paris, mas já **regressou a** Barcelona.

verbo + com

concordar	**Concordo** inteiramente **com** você.
contar	**Conto com** sua ajuda, para resolver o exercício.
falar	Vou **falar com** ele amanhã.
ir	Eu **vou com** meus amigos.
preocupar-se	**Preocupa-se** demais **com** os outros.
simpatizar	**Simpatizei** bastante **com** seu novo amigo.
sonhar	Esta noite **sonhei com** as férias de janeiro em São Paulo.

verbo + de

cuidar / tratar	A avó **cuida dos** netos; é ela quem **trata deles**.
depender	Deixar de fumar, só **depende de** você.
desistir	Eu nunca **desisto de** nada.
esquecer-se	Ele **se esqueceu de** avisar que vinha mais tarde.
falar	Estavam **falando do** João, quando ele chegou.
gostar	Todas as crianças **gostam de** balas.
lembrar-se	Ela **se lembra** sempre **do** meu aniversário.
morrer	Muitas pessoas ainda **morrem de** fome no mundo.
necessitar / precisar	**Necessito** / **preciso de** um dicionário.
queixar-se	Todos **se queixam do** Rui; é muito insubordinado!
rir-se	Não se **ria de** mim, que eu não gosto!
sair	Ele **sai de** casa antes das 8h.
suspeitar	A polícia **suspeita do** mordomo.

verbo + em

acreditar	Ainda **acredita em** Papai Noel?
chegar	Costumamos **chegar em** casa às sete e meia.
concentrar-se	Tem de **se concentrar** mais **nos** estudos.
confiar	Eu não **confio nele**; já me enganou por diversas vezes.
entrar	**Entrou na** sala sem me pedir licença.
dividir	**Dividam** o bolo **em** partes iguais.
insistir	Ele **insiste em** não fazer o que lhe digo.
pensar	**Em** que é que está **pensando**?
viver / morar / residir	Eu **vivo em** São Paulo; **moro** / **resido no** Bairro do Morumbi.

verbo + por

distribuir	O prefeito **distribuiu** esperança **pela** favela.
esforçar-se	Ele **se esforça** muito **pela** família.
esperar	Estou cansado de **esperar por** ele. Vou-me embora!
interessar-se	Ela só **se interessa por** ela própria.
lutar	Tem de **lutar pelos** seus ideais.
optar	Ela **optou por** não ter filhos.
perguntar	Alguém **perguntou por** mim?

49.1. Complete com a **preposição correta + artigo / pronome** quando necessário.

1. O Rui gosta muito ________ jogar bola.
2. Meu avô morreu ________ velhice. Tinha 99 anos.
3. Nós moramos ________ Petrópolis.
4. Preciso falar ________ ele com urgência.
5. Espere ________ mim; estou quase pronta.
6. A que horas é que você sai ________ escola?
7. Podem contar ________ a nossa presença para a festa.
8. Avó, agarre-se ________ mim para se levantar do sofá.
9. Distribuíram fruta ________ bairro.
10. Não se ria ________, é um pobre coitado!
11. Nunca desista ________ seus objetivos!
12. Admiro as pessoas que lutam ________ aquilo ________ que acreditam.
13. Tem toda a razão. Concordo ________.
14. Leiam o texto e dividam-no ________ partes.
15. Esqueci-me ________ guarda-chuva.
16. Já não confio ________ ninguém!
17. Preocupo-me ________ ele, porque sou sua amiga.
18. Já tinha pensado ________ te ligar.
19. Tire os sapatos antes de entrar ________ casa.
20. Responda ________ pergunta, por favor!

49.2. Complete com os **verbos na forma correta + preposição e artigo / pronome** quando necessário.

1. Conheci ontem o novo professor, mas não ________ (simpatizar) nem um pouco ________ ele.
2. Nos anos 90, eles ________ (viver) ________ Macaé, mas em 2000 ________ (regressar) ________ Rio de Janeiro.
3. Ele sempre ________ (interessar-se) ________ teatro.
4. Ela estava tão cansada que ________ (encostar-se) ________ ombro dele e adormeceu.
5. A Joana já ________ (chegar) ________ escritório, quando soube do acidente.
6. Está atrasado! O diretor já ________ (perguntar) ________ você.
7. A entrada na faculdade ________ (depender) ________ notas das provas.
8. Ele ________ (esforçar-se) ________ ser um bom aluno.
9. A Rita ________ (optar) ________ ir estudar nos E.U.A.
10. Ele está sempre ________ (queixar-se) ________ falta de dinheiro.

49.3. Faça frases com o **verbo na forma correta + preposição e artigo / pronome** quando necessário.

1. Esta noite / sonhar / fantasmas
____
2. Nós / esperar / você / lá em baixo
____
3. Gostar / ir / vocês / mas / não posso
____
4. As mães / sempre / preocupar-se / filhos
____
5. Ultimamente / (eu) / pensar / muito / você
____
6. O inspetor / suspeitar / marido da vítima
____
7. Ele / não / habituar-se / vida na cidade
____
8. Ainda / lembrar-se / meu irmão / ?
____
9. O Diogo / insistir / pagar o jantar
____
10. Concentrar-se / seu trabalho / !
____

adjetivo + preposição

adjetivo + a

acessível	Atualmente, a Internet está **acessível a** quase toda a gente.
acostumado	Ela está **acostumada ao** calor do Brasil.
apto	Ele está **apto a** voltar ao trabalho.
autorizado	Não estou **autorizada a** usar o cartão de crédito.
fiel	O cachorro é sempre **fiel ao** dono.
habituado	Ele está **habituado a** deitar-se tarde.
idêntico	O teste vai ser **idêntico ao** do período passado.
leal	O Mário é um bom rapaz, **leal aos** amigos.
prejudicial	O sal é **prejudicial à** saúde.
semelhante	O dia de hoje é **semelhante ao** de ontem: sempre chovendo!
sensível	Ele é muito **sensível à** dor.

adjetivo + com

admirado	Todos ficaram **admirados com** a reação dela.
chocado	Ficamos **chocados com** a notícia da morte do diretor.
contente	Ficou **contente com** o presente que os colegas lhe deram.
cuidadoso	O avô Manuel é muito **cuidadoso com** o neto mais novo.
desiludido	O professor ficou **desiludido com** o fraco resultado dos testes.
feliz	Ele ficou **feliz com** o nascimento do filho.
generoso	Eles sempre foram muito **generosos com** os empregados.
impressionado	Todos ficaram **impressionados com** a violência do acidente.
preocupado	As mães estão sempre **preocupadas com** os filhos.
relacionado	O tema da atividade de hoje está **relacionado com** a poluição.
satisfeito	Você está **satisfeito com** as novas instalações?
surpreendido	Ficamos **surpreendidos com** o final do filme.
zangado	O que aconteceu? Você está **zangado comigo**?

adjetivo + de

cansado	Pare! Estou **cansada de** andar de um lado para o outro.
capaz	Quem é que é **capaz de** resolver este problema?
cheio	O teatro está **cheio de** gente.
desejoso	As crianças estão **desejosas de** abrir os presentes.
dependente	A Joana fez quinze anos, mas ainda é muito **dependente da** mãe.
diferente	O Antônio é alto e magro, muito **diferente do** irmão.
difícil	O caminho para o castelo não é **difícil de** encontrar.
fácil	O problema é **fácil de** resolver.
morto	Não tomou o café da manhã e agora está **morto de** fome.
orgulhoso	Ficou **orgulhoso do** comportamento do filho.
típico	As rabanadas são **típicas do** Natal.

50.1. Complete com a **preposição correta + artigo / pronome** quando necessário.

1. Ele estava tão triste que eu não fui capaz ________ contar a verdade.
2. Tomar café depois das refeições é típico ________ brasileiros.
3. A professora se sente orgulhosa ________ alunos.
4. O professor ficou admirado ________ a resposta do Paulo.
5. Fizeram obras e agora o quintal está cheio ________ lixo.
6. Quando regressou ao seu país, ficou desiludido ________ o nível de vida das pessoas.
7. Trabalhar em casa é diferente ________ trabalhar num escritório oito horas por dia.
8. A nova empregada é mais cuidadosa ________ as roupas.
9. A decisão depende ________ resultado ________ exame.
10. Ficamos muito satisfeitos ________ o serviço da agência.
11. Tem tossido muito. Estou preocupado ________.
12. Estão felizes ________ a nova vida de casados.
13. Nunca diz a verdade. Estou cansado ________ mentiras!
14. O primeiro-ministro afirmou que estava chocado ________ os acontecimentos.
15. Os animais não estão autorizados ________ entrar.
16. A Beatriz e a Patrícia desarrumaram o meu quarto. Fiquei zangada ________ elas.
17. O treinador ficou impressionado ________ a rapidez dos jogadores.
18. Estou desejosa ________ chegar em casa.
19. O médico o considerou apto ________ participar nos treinos.
20. Ela não está habituada ________ beber e se sentiu mal.

50.2. Complete com os seguintes **adjetivos na forma correta + preposição e artigo** quando necessário.

cansado	contente	impressionado	dependente	relacionado
difícil	cheio	chocado	desiludido	acostumado

1. Estou ________ estudar. Vou fazer um intervalo.
2. Visitou a zona mais pobre e ficou ________ tanta miséria.
3. O restaurante está ________ gente.
4. Ela é muito jovem e não está ________ andar de metrô sozinha.
5. O Marcos ainda não trabalha. Está totalmente ________ pais.
6. Ficamos ________ o português dela. É excelente!
7. O professor Tomé estuda questões ________ a violência.
8. Os torcedores ficaram ________ a saída do treinador. Não estavam à espera.
9. Essa história é muito estranha. É ________ acreditar.
10. O médico ficou muito ________ o prêmio. Vai poder ajudar muita gente.

50.3. Complete a segunda frase com o mesmo sentido da anterior. Use os **adjetivos na forma correta + preposição e artigo** quando necessário.

1. A organização do festival depende da Câmara Municipal de Petrópolis.
   A organização do festival está dependente da Câmara Municipal de Petrópolis.
2. Ela habituou-se a pôr pouco sal na comida.
   Ela está ________.
3. Os pais preocupam-se sempre com os filhos.
   Os pais estão sempre ________.
4. Havia muitos turistas no museu.
   O museu estava ________.
5. Minha situação não é idêntica à sua.
   Minha situação é ________.
6. Encontramos a solução, mas não foi fácil!
   A solução foi ________.

comparativos

O Paulo é **tão** alto **quanto** o João.
O Pedro é **mais** alto (**do**) **que** os amigos.
O Paulo e o João são **menos** altos (**do**) **que** o Pedro.

comparativo

normal	superioridade	igualdade	inferioridade*
alto	**mais** alto (**do**) **que**	**tão** alto **quanto**	**menos** alto (**do**) **que**
longe	**mais** longe (**do**) **que**	**tão** longe **quanto**	**menos** longe (**do**) **que**
bom / bem	**melhor** (**do**) **que**	**tão** bom **como** **tão** bem **quanto**	**menos** bom (**do**) **que** **menos** bem (**do**) **que**
pequeno		**tão** pequeno **quanto**	**menor** (**do**) **que**
grande	**maior** (**do**) **que**	**tão** grande **como**	
mau / mal / ruim	**pior** (**do**) **que**	**tão** mau **quanto** **tão** mal **quanto** **tão** ruim **quanto**	**menos** mau (**do**) **que** **menos** mal (**do**) **que** **menos** ruim (**do**) **que**

* É pouco usado.

— Sente-se **bem**?
— Hoje eu me sinto **melhor**.

Ontem o tempo estava **ruim**. Hoje está ainda **pior**.

Levanto-me sempre **cedo**, mas anteontem me levantei ainda **mais cedo do que** habitualmente.

Eles têm muitos filhos. Vão comprar um carro **maior**.

O inverno no Brasil é **menos frio do que** na Alemanha.

Minha mala está **mais pesada do que** a sua.

Estes sapatos são **mais caros do que** aqueles.

Neste prédio os apartamentos do lado direito são **maiores do que** os do lado esquerdo.

Ele fez o teste **tão bem quanto** o do mês passado. Tirou a mesma nota nos dois.

O *show* não foi **tão bom como** diziam.

A vida no campo não é **tão agitada como** na cidade.

Ele está **tão alto como** o pai.

51.1. Complete as frases com os **adjetivos** / **advérbios** na forma correta.

1. Se eu tenho 20 anos e você tem 21, então você é *mais velho (do) que eu*. (velho)
2. Se a igreja foi construída em 1670 e o museu em 1870, então a igreja é ______. (antigo)
3. Se as minhas calças custaram R$ 49,88 e as suas R$ 74,82, então as suas foram ______. (caro)
4. Se hoje está fazendo 7 graus e ontem fez 10, então hoje faz ______. (frio)
5. Se o Pedro nasceu em 1965 e o irmão nasceu em 1960, então o Pedro é ______. (jovem)
6. Se este jardim tem 100 m^2 e aquele tem 150 m^2, então aquele é ______. (grande)
7. Se de metrô demoro 10 minutos até à escola e de ônibus demoro 30 minutos, então o metrô é ______. (rápido)
8. Se aqueles sapatos custam R$ 59,86 e estes custam R$ 44,89, então estes sapatos são ______. (barato)
9. Se a Ana tem 1,65 m e a Joana tem 1,70 m, então a Ana é ______. (baixo)
10. Se eu me levanto às 7h e você se levanta às 8h, então eu me levanto ______. (cedo)

51.2. Complete as frases com os **adjetivos** / **advérbios** contrários na forma correta.

1. Este restaurante é muito caro. Vamos a outro *mais barato.*
2. Estes sapatos estão muito pequenos. Não tem outros ______?
3. Este texto é muito difícil. Não há outro ______?
4. Ontem me senti mal. Hoje já estou ______.
5. O supermercado fica muito longe. Não há uma mercearia ______?
6. A prova de matemática não correu bem. A prova de física foi ainda ______.
7. Esta régua é muito curta. Preciso de uma ______.
8. Esta caixa é muito pesada para você. Leva aquela que é ______.
9. No ano passado, a Ana estava muito gorda. Agora está ______.
10. Ele é muito baixo para jogar basquete. Precisamos de um jogador ______.

51.3. Complete as frases com os **adjetivos** / **advérbios** na forma correta.

1. Seu irmão não é muito alto. Você é *mais alto.*
2. A casa deles não é muito grande. Eles querem comprar uma casa ______.
3. Este vinho não é muito bom. Aquele é ______.
4. Aos fins de semana, não se levantam muito cedo. Durante a semana se levantam ______.
5. O inglês dele é ruim. O da Ana é ______.
6. Este empregado não é muito simpático. Aquele é ______.

51.4. Complete as frases com **tão ... quanto** / **como**.

1. A igreja é mais antiga do que o museu. *O museu não é tão antigo quanto a igreja.*
2. A Espanha é maior do que Portugal. Portugal ______.
3. Ele joga melhor do que o João. O João ______.
4. O leite está mais quente do que o café. O café ______.
5. Ele come mais depressa do que a irmã. A irmã ______.
6. A Ana é mais alta do que o Rui. O Rui ______.

Unidade
52 superlativos

superlativo relativo

normal	superioridade	inferioridade*
baixo	**o mais** baixo	**o menos** baixo
cedo	**o mais** cedo	**o menos** cedo
bom	**o melhor**	**o pior**
grande	**o maior**	**o menor**
mau	**o pior**	**o menos** mau

*É pouco usado.

superlativo absoluto

normal	sintético	analítico
baixø	**baixíssimo**	**muito** baixo
cedø	**cedíssimo**	**muito** cedo
fácil	**facílimo**	**muito** fácil
difícil	**dificílimo**	**muito** difícil
agradável	**agradabilíssimo**	**muito** agradável
bom/bem	**ótimo**	**muito** bom/bem
mau/mal/ruim	**péssimo**	**muito** mau/mal/ruim

São Paulo é **a maior** cidade do Brasil.

O filme foi **péssimo**. Realmente, foi **o pior** filme que eu vi.

Ele joga bem futebol, mas não é **o melhor** do time.

Chegou **atrasadíssimo**. O filme já começou.

Dentro da cidade, o metrô é **o** meio de transporte **mais rápido**.

A Ana e a Joana são **as melhores** alunas da turma.

O Pedro, o Nuno e o Luís são todos **muito altos**. **O mais alto** é o Pedro que tem 1,90 m e **o mais baixo** é o Luís que tem 1,87 m.

52.1. Complete as frases com os **adjetivos** / **advérbios** na forma correta.

1. Estou muito cansada. De fato, estou cansadíssima.
2. Ainda é muito cedo. De fato, é ______.
3. Ele está gordo. De fato, está ______.
4. Esta bebida é muito forte. De fato, é ______.
5. Eles estão muito atrasados. De fato, estão ______.
6. Sua mala está muito pesada. De fato, está ______.
7. Este bife está muito duro. De fato, está ______.
8. A sopa está muito quente. De fato, está ______.
9. O exame foi muito difícil. De fato, foi ______.
10. O bolo de chocolate está muito bom. De fato, está ______.
11. O acidente foi muito grave. De fato, foi ______.
12. Estes sapatos foram muito caros. De fato, foram ______.

52.2. Complete com os **adjetivos** na forma correta.

1. O Miguel é mais velho do que o Paulo e a Ana. É o mais velho dos irmãos.
2. Este ano as férias foram melhores do que as do ano passado. Foram ______ que passamos.
3. Esta igreja é muito antiga. É ______ do país.
4. Esta sala é muito grande. É ______ de todas.
5. O jogo de domingo foi péssimo. Foi ______ de todos.
6. Ela é muito bonita. É ______ das irmãs.
7. Ele é mais alto do que os colegas. É ______ da turma.
8. Estas uvas são muito doces. São ______ de todas.
9. Este romance é muito interessante. É ______ deste escritor.
10. Ele é um cantor muito popular. É ______ de todos.

52.3. Complete as frases.

1. Este é o restaurante mais caro do Rio de Janeiro. (restaurante / caro)
2. Esse foi o melhor filme do ano. (bom / filme)
3. Ele é ______ do país. (homem / rico)
4. Hoje foi ______ da minha vida. (dia / feliz)
5. Ela é ______ que eu já conheci. (moça / bonito)
6. O Amazonas é ______ do Brasil. (grande / rio)
7. A Ana e o Pedro são ______ da turma. (bom / alunos)
8. Ele é ______ da atualidade. (político / popular)
9. Este foi ______ que eu ouvi. (mau / discurso)
10. Ela foi ______ dos anos 50. (atriz / famoso)

Unidade 53 tão e tanto

tão

tão + adjetivo
(invariável)

Ela é **tão bonita**!
Que moça **tão bonita**!

tão + advérbio
(invariável)

Você fala **tão depressa**! Não entendo nada.
A praia é **tão longe**! É melhor irmos de carro.

tão + adjetivo / advérbio + que...
(invariável)

Ela fala **tão** depressa **que** eu não entendo.
Ele estava **tão** cansado **que** foi logo dormir.

tanto

verbo + tanto
(invariável)

Ele **come tanto**! Por isso está tão gordo.

tanto(s) / tanta(s) + substantivo
(variável)

Gastei **tanto dinheiro** nas compras!
Não coma **tantos chocolates**!
Tanta gente na rua!
Nunca vi **tantas pessoas** num *show*!

verbo + tanto que...
(invariável)

Ele estudou **tanto que** ficou com dor de cabeça.
Tive **tanto** trabalho **que** não pude sair com vocês.

tanto(s) / tanta(s) + substantivo + que...
(variável)

Ele tinha **tantas** dores de cabeça **que** foi tomar um comprimido.

53.1. Complete as frases exclamativas com **tão** ou **tanto**.

1. Está fazendo ______ calor!
2. O bebê tem uns olhos ______ azuis!
3. Que festa ______ animada!
4. ______ carros!
5. Não beba ______ cerveja!
6. Que vestido ______ bonito!
7. A sopa está ______ quente!
8. Há ______ pessoas no ponto de ônibus.
9. Não fale ______ depressa!
10. Ele ganha ______ dinheiro!
11. A casa dele fica ______ longe!
12. Não coma ______!

53.2. Faça frases exclamativas com **tão**.

1. Estas flores são tão bonitas.
   Que flores tão bonitas!
2. Aquele cachorro é muito mau.
   Que cachorro ______!
3. O empregado foi muito antipático.
   Que ______!
4. O bolo estava muito bom.
   ______!
5. O jantar foi muito caro.
   ______!
6. A festa foi muito divertida.
   ______!
7. Seus amigos foram muito simpáticos.
   ______!
8. Este sofá é muito confortável.
   ______!

53.3. Complete com **tão** / **tanto(s)** / **tanta(s)**.

1. Estou ______ atrasada. Vou tomar um táxi.
2. Ultimamente, tem havido ______ trabalho no escritório.
3. Ele está ______ cansado!
4. A mãe dela está ______ doente e tudo lhe causa ______ confusão.
5. Tive ______ sorte em encontrar os documentos.
6. Não precisa trabalhar ______ horas.

53.4. Ligue as frases com **tão ... que** ou **tanto ... que**.

1. Hoje andei muito. Estou com dor nos pés.
   Hoje andei tanto que estou com dor nos pés.
2. Estou com muitas dores. Vou tomar um comprimido.
   ______
3. O professor fala muito depressa. Não entendo nada.
   ______
4. O dia de ontem esteve muito quente. Fomos até à praia.
   ______
5. A Ana estudou muito. Ficou com dor de cabeça.
   ______
6. Fez muito barulho. Acordou o bebê.
   ______
7. Ele comeu muito. Não consegue levantar-se.
   ______
8. Ela se sentiu muito mal. O marido chamou o médico.
   ______

desde e há

desde e há
expressões de tempo em relação ao presente

desde

◇ Usamos **desde** para indicar o **começo** de um **período de tempo**.
Hoje é sexta-feira. Não vejo o João e a Ana **desde segunda-feira**.

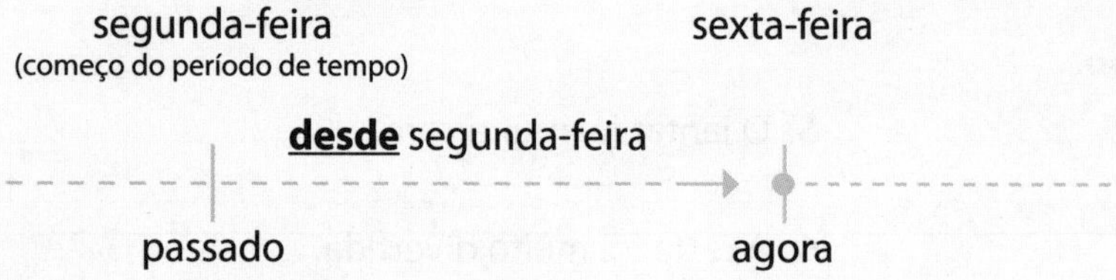

desde	segunda ontem as 10 horas o dia 20 de julho março 2009

há

◇ Usamos **há** para indicar o **período de tempo**.
Hoje é sexta-feira. Não vejo o João e a Ana **há cinco dias**.

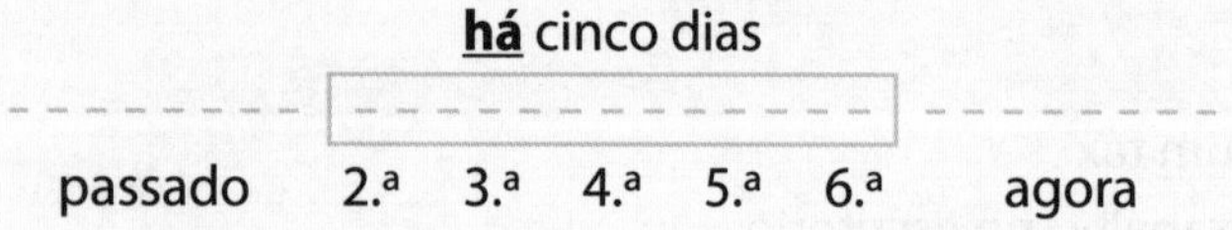

há	um dia cinco dias uma hora uma semana dois meses três anos

Compare:

Ele está de férias **desde a semana passada**.
Ele está de férias **há uma semana**.
Ando na Faculdade de Letras **desde 2009**.
Estudo arquitetura **há quatro anos**.
Conheço-a **desde 1990**.
Conheço-a **há muito tempo**.

há
expressões de tempo em relação ao passado

◇ Usamos **há** para indicar um **momento no passado** (nestes casos, o verbo está sempre no passado).

Estive com o Paulo **há dois dias**.

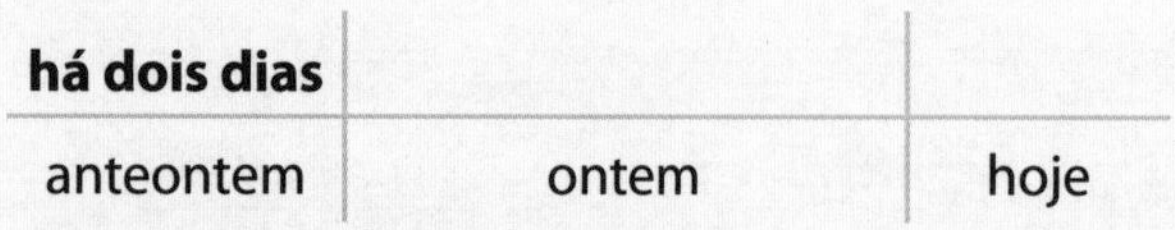

Ela saiu de casa **há meia hora**.

— Quando é que chegou?
— **Há** 10 minutos.

há	dez minutos uma hora dois dias três meses um ano

54.1. Complete com **desde** ou **há**.

1. Ele saiu ________ cinco minutos.
2. Estou lendo o livro ________ duas semanas.
3. Ela estuda inglês ________ os quatro anos.
4. Estou esperando o ônibus ________ meia hora.
5. A casa está alugada ________ janeiro.
6. Estivemos em Paris ________ três anos.
7. Não vou ao teatro ________ muito tempo.
8. Comprei o carro ________ dois meses.
9. O João está doente ________ quarta-feira.
10. Ando de bicicleta ________ criança.

54.2. Complete as frases com **desde** e **há**.

1. São dez da manhã. Acordei às 8h.
   Estou acordado desde as 8h.
   Estou acordado há duas horas.
2. Estamos em agosto. Eles foram morar em Manaus em janeiro.
   Eles moram ________.
   Eles moram ________.
3. Hoje é sexta-feira. Falei com ele na segunda-feira.
   Não o vejo ________.
   Não o vejo ________.
4. É meio-dia. Tomei o café da manhã às 7h.
   Já não como ________.
   Já não como ________.
5. Hoje é dia 15. Mudaram para a casa nova no dia 1.º.
   Estão na casa nova ________.
   Estão na casa nova ________.

54.3. Complete com **desde** e **há**.

1. Eles estão casados ________ 1970. Estão casados ________ mais de vinte anos.
2. Ontem encontrei o João. Já não o via ________ muito tempo, ________ os tempos da escola.
3. São 14h. Estou estudando ________ meia hora. Estou estudando ________ as 13h30.
4. Vou ligar para meus pais. Já não falo com eles ________ uns meses, mais precisamente ________ o Natal.
5. O professor está doente. Não temos aulas ________ quinta-feira; ________ quase uma semana.

54.4. Responda às seguintes perguntas com **desde** ou **há**.

1. Há quanto tempo não lê o jornal? (ontem) ________.
2. Quando é que chegaram? (cinco minutos) ________.
3. Há quanto tempo estuda português? (1992) ________.
4. Desde quando é que mora aqui? (dezembro) ________.
5. Quando é que foi a estreia? (quinze dias) ________.
6. Há quanto tempo está esperando? (duas horas) ________.
7. Há quanto tempo está aguardando? (as 14h) ________.
8. Há quanto tempo não anda de avião? (os cinco anos) ________.
9. Há quanto tempo não anda de avião? (cinco anos) ________.

presente e pretérito perfeito do indicativo

			eu	tu	você/ele/ela	nós	vocês/eles/elas
regulares	fal*ar*	p.i.	fal*o*	-as	**-a**	**-amos**	**-am**
	beb*er*		beb*o*	-es	**-e**	**-emos**	**-em**
	abr*ir*		abr*o*	-es	**-e**	**-imos**	**-em**
	-ar	p.p.	**-ei**	-aste	**-ou**	**-amos**	**-aram**
	-er		**-i**	-este	**-eu**	**-emos**	**-eram**
	-ir		**-i**	-iste	**-iu**	**-imos**	**-iram**
dar	p.i.		dou	dás	dá	damos	dão
		p.p.	dei	deste	deu	demos	deram
estar	p.i.		estou	estás	está	estamos	estão
		p.p.	estive	estiveste	esteve	estivemos	estiveram
dizer	p.i.		digo	dizes	diz	dizemos	dizem
		p.p.	disse	disseste	disse	dissemos	disseram
fazer	p.i.		faço	fazes	faz	fazemos	fazem
		p.p.	fiz	fizeste	fez	fizemos	fizeram
haver	p.i.				há		
		p.p.			houve		
ler	p.i.		leio	lês	lê	lemos	leem
		p.p.	formação regular				
perder	p.i.		perco	perdes	perde	perdemos	perdem
		p.p.	formação regular				
poder	p.i.		posso	podes	pode	podemos	podem
		p.p.	pude	pudeste	pôde	pudemos	puderam
querer	p.i.		quero	queres	quer	queremos	querem
		p.p.	quis	quiseste	quis	quisemos	quiseram
saber	p.i.		sei	sabes	sabe	sabemos	sabem
		p.p.	soube	soubeste	soube	soubemos	souberam
ser	p.i.		sou	és	é	somos	são
		p.p.	fui	foste	foi	fomos	foram
ter	p.i.		tenho	tens	tem	temos	têm
		p.p.	tive	tiveste	teve	tivemos	tiveram
trazer	p.i.		trago	trazes	traz	trazemos	trazem
		p.p.	trouxe	trouxeste	trouxe	trouxemos	trouxeram
ver	p.i.		vejo	vês	vê	vemos	veem
		p.p.	vi	viste	viu	vimos	viram
dormir	p.i.		durmo	dormes	dorme	dormimos	dormem
		p.p.	formação regular				
ir	p.i.		vou	vais	vai	vamos	vão
		p.p.	fui	foste	foi	fomos	foram
pedir	p.i.		peço	pedes	pede	pedimos	pedem
		p.p.	formação regular				
sair	p.i.		saio	sais	sai	saímos	saem
		p.p.	saí	saíste	saiu	saímos	saíram
servir	p.i.		sirvo	serves	serve	servimos	servem
		p.p.	formação regular				
subir	p.i.		subo	sobes	sobe	subimos	sobem
		p.p.	formação regular				
ouvir	p.i.		ouço/oiço	ouves	ouve	ouvimos	ouvem
		p.p.	formação regular				
vir	p.i.		venho	vens	vem	vimos	vêm
		p.p.	vim	vieste	veio	viemos	vieram
pôr	p.i.		ponho	pões	põe	pomos	põem
		p.p.	pus	puseste	pôs	pusemos	puseram
haver de	p.i.		hei de	hás de	há de	havemos de	hão de

pretérito imperfeito do indicativo

		eu	tu	você/ ele/ela	nós	vocês/ eles/elas
regulares	-ar	**-ava**	-avas	**-ava**	**-ávamos**	**-avam**
	-er	**-ia**	-ias	**-ia**	**-íamos**	**-iam**
	-ir	**-ia**	-ias	**-ia**	**-íamos**	**-iam**
ser		era	eras	era	éramos	eram
ter		tinha	tinhas	tinha	tínhamos	tinham
vir		vinha	vinhas	vinha	vínhamos	vinham
pôr		punha	punhas	punha	púnhamos	punham

futuro do presente do indicativo

	eu	tu	você/ ele/ela	nós	vocês/ eles/elas
regulares	**-ei**	-ás	**-á**	**-emos**	**-ão**
dizer	direi	dirás	dirá	diremos	dirão
fazer	farei	farás	fará	faremos	farão
trazer	trarei	trarás	trará	traremos	trarão

futuro do pretérito

	eu	tu	você/ ele/ela	nós	vocês/ eles/elas
regulares	**-ia**	-ias	**-ia**	**-íamos**	**-iam**
dizer	diria	dirias	diria	diríamos	diriam
fazer	faria	farias	faria	faríamos	fariam
trazer	traria	trarias	traria	traríamos	trariam

Apêndice 2 — Pronomes pessoais

<table>
<tr><th rowspan="2">sujeito</th><th colspan="4">complemento</th><th rowspan="2">reflexivo</th></tr>
<tr><th>indireto</th><th>direto</th><th>com preposição</th><th>com preposição com</th></tr>
<tr><td>eu</td><td>me</td><td>me</td><td>mim</td><td>comigo</td><td>me</td></tr>
<tr><td>tu</td><td>te</td><td>te</td><td>ti</td><td>contigo</td><td>te</td></tr>
<tr><td>você</td><td rowspan="5">lhe</td><td>o, a</td><td>você</td><td>você</td><td rowspan="5">se</td></tr>
<tr><td>o senhor</td><td>o</td><td>o senhor</td><td>com o senhor</td></tr>
<tr><td>a senhora</td><td>a</td><td>a senhora</td><td>com a senhora</td></tr>
<tr><td>ele</td><td>o</td><td>ele</td><td>com ele</td></tr>
<tr><td>ela</td><td>a</td><td>ela</td><td>com ela</td></tr>
<tr><td>nós</td><td>nos</td><td>nos</td><td>nós</td><td>conosco</td><td>nos</td></tr>
<tr><td>vocês</td><td rowspan="3">os</td><td rowspan="3">os</td><td>vocês</td><td>com vocês</td><td rowspan="5">se</td></tr>
<tr><td>os senhores</td><td>os senhores</td><td>com os senhores</td></tr>
<tr><td>as senhoras</td><td>as senhoras</td><td>com as senhoras</td></tr>
<tr><td>eles</td><td rowspan="2">lhes</td><td>os</td><td>eles</td><td>com eles</td></tr>
<tr><td>elas</td><td>as</td><td>elas</td><td>com elas</td></tr>
</table>

Alterações sofridas pelas formas de complemento verbal objeto direto **o, a, os, as**:

– ~~r~~ } **l**

Vou compra**r** as laranjas. → Vou comprá-**las**.
Prazer em conhece**r** você. → Prazer em conhecê-**lo**.
Vou abri**r** a garrafa. → Vou abri-**la**.
Vou pô**r** o feijão no fogo. → Vou pô-**lo**.

– ~~m~~ } **n**

Faça**m** o trabalho. → Façam-**no**.
Eles lera**m** as informações. → Leram-**nas**.
Ponha**m** o chapéu. → Ponham-**no**.

Apêndice 3 — Plural dos substantivos e adjetivos

Plural dos substantivos e adjetivos:

1) regra geral + s

mes**a** – mesa**s**
cidad**e** – cidade**s**
táx**i** – táxi**s**
livr**o** – livro**s**
irm**ã** – irmã**s**
p**é** – pé**s**
m**ãe** – mãe**s**
m**au** – mau**s**

2) palavras terminadas em m → ns

bo**m** – bo**ns** / home**m** – home**ns** / jardi**m** – jardi**ns**

3) palavras terminadas em r, s ou z + es

co**r** – cor**es** / mulhe**r** – mulher**es** / paí**s** – país**es** / feli**z** – feliz**es** / rapa**z** – rapaz**es**

4) palavras invariáveis

lápi**s** / atla**s** / ônibu**s** / pire**s** / simple**s**

5) palavras terminadas em

a) **al**, **el**, **ol** e **ul**, o **l** cai e acrescentamos **is**
jorna**l** – jorn**ais** / hote**l** – hot**éis** / espanh**ol** – espanh**óis** / az**ul** – az**uis**

b) **il**, depende da sílaba tônica:
il → **eis** difíc**il** – difíc**eis** / fác**il** – fác**eis**
il → **is** gent**il** – gent**is** / infant**il** – infant**is**

6) palavras terminadas em ditongo – ão

a) **ão** → **ões** (a maioria das palavras)
esta**ção** – esta**ções** / milh**ão** – milh**ões**

b) **ão** → **ães**
alem**ão** – alem**ães** / p**ão** – p**ães** / c**ão** – c**ães** / capit**ão** – capit**ães**

c) **ão** → **ãos**
irm**ão** – irm**ãos** / m**ão** – m**ãos** / órf**ão** – órf**ãos** / cidad**ão** – cidad**ãos**

Soluções dos Exercícios

Unidade 1

1.1.

1. é
2. somos
3. sou
4. são
5. é
6. é
7. são
8. são
9. somos
10. são

1.2.

2. sou/é
3. é
4. são
5. são
6. é
7. é
8. é
9. é
10. são
11. é
12. é
13. somos
14. é
15. é

1.3.

2. O futebol é um esporte muito popular.
3. Você não é espanhol.
4. Elas são boas alunas.
5. Esta casa é moderna.
6. Nós somos secretárias.
7. O teste não é difícil.
8. Estes CD são da minha irmã.
9. Minha escrivaninha é de madeira.
10. Aquele suéter não é caro.
11. Você e o Antônio são amigos.
12. Eu sou magro.
13. A caneta é da Cristina.

1.4.

3. O cachorro não é um animal selvagem.
4. A gasolina é muito cara.
5. O avião é um meio de transporte rápido.
6. Portugal não é um país grande.
7. Nós somos estrangeiros.
8. Hoje (não) é quarta-feira.
9. Este prédio (não) é muito alto.
10. O Pará é no Norte do Brasil.
11. Meu suéter (não) é de lã.
12. Vocês (não) são economistas.
13. Esta mala (não) é pesada.
14. Você e ele (não) são amigos.
15. O rio Amazonas é no Brasil.

Unidade 2

2.1.

1. estão
2. está
3. está
4. estamos
5. está
6. estão
7. estou
8. estão
9. estão
10. estamos

2.2.

1. está
2. está/estão
3. está/Estou
4. estou
5. está
6. estão
7. está
8. estão
9. estão
10. está
11. estão
12. está/está
13. estamos
14. está
15. está

2.3.

2. Hoje está muito calor.
3. Meus amigos estão na escola.
4. Eu estou na sala de aula.
5. A sopa não está muito quente.
6. Você está cansado.
7. Lá fora está muito frio.
8. O Pedro está deitado, porque está doente.
9. O almoço está pronto.
10. O gato não está com fome.
11. Eu e a Ana estamos com sono.
12. A D. Graça não está no escritório.
13. Ela está de férias.
14. Eles estão esperando o ônibus.
15. Vocês não estão em casa.

Unidade 3

3.1.

1. está
2. está
3. são
4. está
5. são
6. está
7. é
8. estou
9. está
10. estão
11. está
12. é
13. é/está
14. é
15. estão

3.2.

1. Nós não estamos em casa à noite.
2. Eu estou cansada.
3. Minha mulher é professora.
4. O João está com fome.
5. Você está atrasado.
6. Esta sala é muito escura.
7. Eu não estou com sede.
8. Ela é de Curitiba.
9. De manhã está muito frio.
10. A Tereza está no estrangeiro.
11. As canetas estão em cima da mesa.
12. Os bolos de chocolate são sempre muito doces.

3.3.

2. O quadro é muito interessante.
   O quadro está na parede.
3. As mesas são grandes.
   As mesas estão sujas.
4. O supermercado é grande.
   O supermercado está aberto.
5. O empregado é simpático.
   O empregado está cansado.
6. Ele é inteligente.
   Ele está contente.

Unidade 4

4.1.

2. está fazendo
3. está tomando
4. estou vendo
5. estamos entendendo
6. está chegando
7. Está bebendo
8. estou lendo
9. Estão brincando
10. Está chovendo

4.2.

3. Eu (não) estou ouvindo música.
4. Hoje (não) está chovendo.
5. O telefone (não) está tocando.
6. Eu (não) estou lendo o jornal.
7. Meus colegas (não) estão fazendo exercícios.
8. Eu (não) estou conversando.
9. Eu (não) estou tomando café.
10. Eu (não) estou comendo fruta.
11. Eu (não) estou pondo o dinheiro no banco.

4.3.

1. Ele está tomando sol.
2. Ele está assistindo à televisão.
3. Ele está lendo um livro.
4. Ele está escrevendo um e-mail.
5. Ela está andando de bicicleta.
6. Ele está atravessando a rua.

Unidade 5

5.1.

1. falo
2. mora
3. usam
4. compra
5. almoçamos
6. trabalham
7. pagam
8. tomam
9. fica

5.2.

1. fecham
2. fuma
3. moramos
4. leciona
5. Gosto
6. jogam
7. levanto
8. ficamos
9. lava
10. usa
11. toma
12. começa/termina

5.3.

1. toca
2. falamos
3. trabalho
4. gosta
5. estudam
6. cursam
7. tomo
8. paga
9. liga
10. janta
11. encontram
12. ganha
13. brincam

5.4. (sugestões)

2. Nós às vezes acordamos às 7h.
3. Eles jogam futebol todos os dias.
4. Você sempre compra o jornal de manhã.
5. Vocês sempre jantam fora.
6. O Pedro nunca toma café à noite.

Unidade 6

6.1.

1. escreve
2. entende
3. comemos
4. conheço
5. bebe
6. resolvem
7. desce
8. aqueço
9. vivo
10. correm
11. aprendem
12. esqueço

6.2.

1. tomamos/comemos
2. aprendem
3. parece
4. vivem
5. chove
6. escreve
7. compreendo
8. atende
9. se esquece
10. desço
11. conhece
12. responde

6.3.

2. Bebo.
3. Resolvo.
4. Conheço.
5. Aprendo.
6. Vivo.
7. Chove.
8. Escrevo.
9. Atendo.
10. Entendo.
12. Bebemos.
13. Corremos.
14. Vivemos.
15. Conhecemos.
16. Compreendemos.
17. Descemos.
18. Aprendemos.
19. Resolvemos.
20. Recebemos.

Unidade 7

7.1.

1. sei
2. traz
3. veem
4. digo
5. queremos
6. posso
7. põe
8. leem
9. trago
10. quer
11. vejo
12. lê
13. faço
14. leio
15. põem
16. ponho
17. faz
18. perco
19. vemos
20. lemos

7.2.

2. leem
3. fazem
4. sabe
5. vê
6. quer/quero
7. põe/ponho/põe

7.3.

2. Eu nunca vejo televisão.
3. Ela faz aniversário hoje.
4. Amanhã (eu) faço uma festa em casa.
5. (Eu) não sei o nome dela.
6. O Sr. Ramos lê o jornal todos os dias.
7. Eu trago um presente para a Ana.
8. Eu não posso sair à noite.
9. Eles trazem os livros na pasta.
10. Eu leio o jornal todos os dias.
11. Ela sabe falar muitas línguas.
12. A empregada traz o pão de manhã.
13. Hoje (eu) quero ficar em casa.
14. Ele vê mal de longe.
15. Eu já leio o jornal em português.
16. Eu nunca perco o guarda-chuva.

Unidade 8

8.1.

1. abrem
2. visto
3. dividimos
4. minto
5. corrijo
6. decidem
7. consigo
8. servimos
9. sinto
10. traduz
11. parte
12. prefiro
13. dirijo
14. discutem
15. produzimos
16. permito

8.2.

2. O garçon serve o café à mesa.
3. Ela traduz romances para o inglês.
4. O senhor segue sempre em frente.
5. Os bancos abrem às 8h30.
6. Ela divide o bolo com os irmãos.
7. Eu prefiro ficar em casa.
8. O avião parte às 17h.
9. Você nunca admite seus erros.
10. Eu não consigo estudar com barulho.
11. No início da aula o professor introduz a matéria nova.
12. Eu hoje me sinto muito cansado.

8.3.

2. Consigo.
3. Abro.
4. Sigo.
5. Minto.
6. Corrijo.
7. Sirvo.
8. Visto.
9. Prefiro.
10. Dirijo.
12. Discutimos.
13. Decidimos.
14. Admitimos.
15. Partimos.
16. Conseguimos.
17. Traduzimos.
18. Preferimos.
19. Dividimos.
20. Permitimos.

Unidade 9

9.1.

1. sobem
2. peço
3. fugimos
4. ouço
5. durmo
6. saem
7. rio
8. caímos
9. fujo
10. ri
11. sobe
12. vão
13. vou
14. vêm
15. vamos
16. venho

9.2.

1. foge
2. riem
3. durmo
4. vêm
5. vou
6. peço
7. sobe
8. ouço
9. sai
10. caem

9.3.

1. substitui
2. distribuem
3. constrói
4. contribuímos
5. atribui
6. destroem
7. retribuo
8. constitui
9. destroem
10. distribui
11. contribui

Unidade 10

10.1.

2. (Eles) fazem reportagens.
   Agora estão entrevistando um político.
   não estão.
3. (Ele) ensina português.
   Agora está corrigindo exercícios.
   está.
4. (Ela) envia e-mails.
   Agora está atendendo o telefone.
   não está.
5. (Eles) estudam línguas.
   Agora estão fazendo exercícios.
   estão.

10.2.

2. veem
3. estou preparando
4. toma/come
5. jogam
6. estão jogando
7. está fazendo
8. gostam
9. estou ouvindo
10. Está tomando

Unidade 11

11.1.

1. tenho
2. tem
3. temos
4. têm
5. têm
6. tem
7. tem
8. têm
9. tem
10. temos
11. têm
12. têm

11.2.

1. têm
2. temos
3. tem
4. tem
5. tenho
6. tenho
7. têm/têm
8. tem/Tenho
9. tem/tem
10. tenho

11.3.

3. Não, não temos, mas ele tem.
4. Tenho. Tenho três filhos.
5. Não, não tenho, mas eles têm.
6. Tem. Tem quatro irmãos.
7. Não, não tenho, mas a Tereza tem.
8. Temos. Temos dois carros.
9. Não, não tenho, mas ela tem.
10. Temos. Temos muitos amigos.
11. Não, não tenho, mas o Pedro tem.
12. Não, não temos, mas ele tem.

Unidade 12

12.1.

1. fui
2. teve
3. esteve
4. foi
5. foi
6. tive
7. estive
8. teve
9. fomos
10. fui
11. foram
12. tivemos
13. esteve
14. foi
15. teve
16. foram
17. estivemos
18. tiveram
19. estivemos
20. foi
21. fomos
22. tiveram
23. foi
24. estiveram

12.2.

2. Foram.
3. Não, não foi.
4. Foi.
5. Não, não foi.
6. Fui.
8. Tivemos.
9. Tive.
10. Teve.
11. Tive.
12. Não, não tive.
14. Fui.
15. Fui.
16. Fomos.
17. Não, não foi.
18. Fui.
19. Não, não fomos.
21. Esteve.
22. Estive.
23. Estive.
24. Estive.
25. Não, não estive.
26. Estivemos.

12.3.

1. ele foi de carro para o trabalho.
2. fui ao supermercado.
3. fomos ao cinema.
4. tive um teste.
5. esteve doente.
6. estive em casa à noite.
7. foi um bom aluno
8. estiveram
9. foram
10. foram a uma festa.

Unidade 13

13.1.

1. comprou
2. dormiu
3. falamos
4. partiram
5. nasceu
6. paguei
7. fiquei
8. comemos
9. conseguiu
10. perderam
11. comecei
12. abriu

13.2.

2. Ouvi.
3. Compramos.
4. Trabalhei.
5. Dormi.
6. Paguei.
7. Perdemos.
8. Tomei.
9. Encontramos.
10. Li.
11. Fiquei

13.3. (sugestão)

Tomou banho de chuveiro, tomou o café da manhã às 11h e foi ao supermercado.
De tarde leu o jornal e ouviu música.
De noite jantou fora, foi ao cinema com os amigos e voltou para casa à meia-noite.
dormiu até o meio-dia.
De tarde arrumou a casa, escreveu aos amigos e depois ligou para a avó.
De noite ficou em casa e foi para a cama cedo.

Unidade 14

14.1.

1. pus
2. pôde
3. deu
4. vi
5. fez
6. quis
7. vim
8. trouxe
9. souberam
10. vimos
11. trouxeram
12. pôs
13. veio
14. fiz
15. demos
16. pude

14.2.

1. fizeram
2. quis
3. veio/trouxe
4. pôs
5. pude
6. vimos
7. fizeram
8. vieram
9. deu
10. viu
11. souberam
12. viu/vi

14.3.

2. Eles trouxeram presentes para todos.
3. Eu não pude ir ao cinema.
4. Nós vimos um filme na TV Globo.
5. Ninguém fez os exercícios.
6. Vocês souberam o que aconteceu?
7. Meus amigos deram uma festa no sábado.
8. Ela quis ficar em casa.
9. Eles puseram os casacos e saíram.
10. O que é que você fez ontem?
11. Vocês trouxeram os livros?
12. Eu não vi o acidente na avenida.
13. O Sérgio não pôde ir ao futebol.
14. Quantos abraços a Ana deu no pai?
15. Eu vim de carro para a escola.

Unidade 15

15.1.

3. vista-se
4. se encontram
5. se esqueceu
6. se chama
7. inscrever-se
8. se deitam
9. comporte-se
10. vacinar-se

15.2.

1. me levanto
2. nos encontramos
3. se senta/me sento
4. se chama
5. nos deitamos
6. nos lembramos
7. me esqueci
8. nos lavamos
9. me lembro
10. me levantei/se levantou

Unidade 16

16.1.

1. era
2. ficava
3. punha
4. andava
5. comíamos
6. tinha
7. liam
8. viam
9. iam
10. ouvia
11. faziam
12. vinha
13. estava
14. pedíamos
15. queria
16. me levantava
17. escrevia
18. ajudava
19. íamos
20. vinham
21. era

16.2.

2. Fazia a cama.
3. Arrumava a roupa.
4. Tomava banho de chuveiro.
5. Descia até ao primeiro andar para tomar o café da manhã.
6. Comia em silêncio.
7. Assistia à missa das 7h.
8. Começava as aulas às 8h.
9. À tarde fazia ginástica.
10. Das 17h às 18h estudava na biblioteca do colégio.
11. Às 19h jantava no refeitório do colégio interno.
12. Depois do jantar conversava com os amigos e via televisão.
13. Ia dormir lá pelas 21h.

16.3.

1. eram/viviam
2. levantavam-se
3. Saíam/iam
4. tinham
5. Voltavam/almoçavam/iam
6. brincavam
7. jantavam/se deitavam

Unidade 17

17.1.

2. Costumava trabalhar num escritório; agora trabalho num banco.
3. Aos domingos costumavam ficar em casa; agora vão ao cinema.
4. Costumávamos tirar férias em julho; agora tiramos férias em dezembro.
5. Costumava ser muito gordo; agora é magro.
6. A Cristina costumava estudar pouco; agora estuda muito.
7. O Sr. Machado costumava chegar atrasado; agora chega na hora.
8. Costumava praticar esporte; agora não faço nada.
9. Aos sábados costumava ir à feira; agora vai ao supermercado.
10. As crianças costumavam brincar em casa; agora brincam no parque.
11. O Cristóvão costumava viver com os pais; agora vive sozinho.

17.2.

2. Antigamente não havia aviões.
   As pessoas costumavam viajar de trem.
3. Antigamente não havia carros.
   As pessoas costumavam andar mais a pé.
4. Antigamente não havia telefones.
   As pessoas costumavam escrever cartas.
5. Antigamente não havia televisão.
   As pessoas costumavam conversar mais.
6. Antigamente não havia cinema.
   As pessoas costumavam ir ao teatro.

17.3.

2. A mãe costumava fazer compras no armazém do bairro.
3. As crianças costumavam brincar na rua.
4. À tarde costumavam dar passeios de bicicleta.
5. Aos domingos costumavam fazer um piquenique.

Unidade 18

18.1.

1. tinha/Tinha/tinha
2. Eram
3. era
4. tinha/tinha/Eram
5. eram

18.2.

2. Enquanto os filhos tomavam banho, a mãe arrumava os quartos.
3. Enquanto eu assistia à televisão, ele lia o jornal.
4. Enquanto eles preparavam o churrasco, nós arrumávamos a mesa.
5. Enquanto ela estava no telefone, tomava nota dos recados.
6. Enquanto a Ana Maria e o Ronaldo estudavam, ouviam música.
7. Enquanto a orquestra tocava, o Sr. Ramos dormia.
8. Enquanto as crianças brincavam, a gente conversava.
9. Enquanto o professor ditava, nós escrevíamos no caderno.
10. Enquanto a empregada limpava a casa, eu cuidava das crianças.
11. Enquanto ele falava, fazia gestos com as mãos.
12. Enquanto o Zezinho vestia o pijama, a mãe preparava a cama.
13. Enquanto ela estudava, enviava *torpedos* aos amigos.
14. Enquanto eles jogavam *Playstation*, elas ouviam música.
15. Enquanto eu me dirigia à porta, o cachorro latia.

Unidade 19

19.1.

2. O João estava dormindo.
   A mãe entrou.
   Ele se levantou.
3. O Sr. Silva estava pintando a sala.
   Ele caiu da escada.
   Ele quebrou o braço.
4. Eles estavam brincando na praia.
   Começou a chover.
   Eles foram para casa.
5. Eu estava ouvindo música.
   O chefe chegou.
   Eu desliguei o rádio.

19.2.

2. O Júlio estava tomando banho quando o telefone tocou.
3. Estava chovendo quando nós saímos de casa.
4. Os alunos estavam trabalhando quando o professor entrou.
5. Eu estava vendo televisão quando meus amigos bateram à porta.
6. Eles estavam jogando futebol quando começou a chover.
7. Nós estávamos trabalhando quando o computador enguiçou.

19.3.

3. tinha/comi
4. estava/fui
5. chegou/tomávamos
6. estava/estavam/cheguei
7. foi/Estava
8. fizeram/Fomos
9. estava trabalhando (trabalhava)/Saí
10. encontramos/vestia
11. estava tomando (tomava)/ouvi/Levantei-me/olhei/vi
12. era/era/usava
13. era/usava
14. estava/falamos
15. vinham/viram

Unidade 20

20.1.

2. Queria
3. Queria
4. Podia
5. Dava

20.2.

2. queria
3. ia
4. conseguíamos
5. preferia
6. podia
7. queriam
8. Queria
9. queria
10. preferia

20.3.

2. Ia ao cinema, mas tenho de estudar.
3. Comia bolo, mas estou fazendo dieta.
4. Eles iam à festa, mas não podem sair.
5. Ia com vocês, mas não tenho dinheiro.
6. Tomava café, mas o café me faz mal.

Unidade 21

21.1.

2. tinha comido.
3. Tinham voltado para a França.
4. Tinha tido um acidente grave.
5. Tinha dormido 12 horas.
6. tinha combinado ir ao concerto.
7. tinha aprendido.
8. tínhamos visto o filme.
9. tinha andado de avião.
10. tinham ido para a cama.

21.2.

2. tinha começado/entramos
3. levantei/tinha arrumado
4. tínhamos acabado/ligou
5. encontramos/tinha falado

21.3.

3. tinham dormido
4. dormiu
5. tive
6. tinha tido
7. andei
8. tinha andado

Unidade 22

22.1.

2. tem ido/Tem estado
3. Tenho tido
4. temos ido
5. tem feito/têm saído

22.2.

2. Eu não tenho falado com eles ultimamente.
3. Vocês têm encontrado o João?
4. Ele não tem vindo trabalhar.
5. Seu time tem ganho muitos jogos?
6. Nós temos perdido quase todos os jogos.
7. O tempo tem estado ótimo.
8. Eles têm ido à praia todos os dias.
9. Nestes últimos anos eu não tenho tirado férias.
10. Meu marido tem trabalhado muito.

22.3.

2. tem descansado/nasceu
3. fui/tenho estado
4. acabaram/têm tido
5. tenho visto/ficou
6. compraram/têm dado
7. começou/tem feito
8. mudei/tenho encontrado
9. temos ido/nos casamos
10. tem vindo/abriu

Unidade 23

23.1.

2. Ela vai fazer os exercícios.
   Ela está fazendo os exercícios.
   Ela acabou de fazer os exercícios.
3. O João vai tomar banho de chuveiro.
   O João está tomando banho de chuveiro.
   O João acabou de tomar banho de chuveiro.
4. Eu e a Ana vamos arrumar a mesa.
   Eu e a Ana estamos arrumando a mesa.
   Eu e a Ana acabamos de arrumar a mesa.
5. Eles vão falar com o professor.
   Eles estão falando com o professor.
   Eles acabaram de falar com o professor.

23.2.

2. O que é que a Ana vai fazer depois das aulas?
   Vai jogar tênis.
3. O que é que você vai fazer hoje à tarde?
   Vou estudar português.
4. O que é que nós vamos fazer amanhã de manhã?
   Vamos fazer compras.
5. O que é que vocês vão fazer no próximo fim de semana?
   Vamos passear em Cabo Frio.

23.3.

2. Acabamos de entrar.
3. Acabou de levantar-se.
4. Acabou de vestir-se.
5. Acabaram de chegar.

Unidade 24

24.1.

1. irei
2. terá
3. partirá
4. farei
5. diremos
6. trará
7. serão
8. virão
9. sairei
10. falaremos
11. comeremos
12. ouvirão
13. verá
14. porá
15. poderei

24.2.

2. Ficará lá dois dias.
3. No dia 18 chegará em Paris.
4. Cinco dias depois viajará para Viena.
5. De Viena irá para Roma.
6. No dia seguinte partirá para Atenas.

24.3.

1. fumarei
2. será
3. falarei
4. gostarei
5. farei

24.4.

1. iniciará
2. começará/visitará
3. estará
4. irá/ficará
5. terá

24.5.

1. Será
2. irá
3. Será
4. passarei
5. estará

Unidade 25

25.1.

1. daríamos
2. seria
3. faria
4. poderia
5. iria
6. leria
7. traria
8. estaria
9. veriam
10. diríamos
11. viria
12. falaria
13. teriam
14. poria
15. ouviriam
16. chegaríamos

25.2.

2. Daria...
3. Poderia...
4. ...deveriam...
5. ...gostaria...
6. ...seria...
7. ...estaria...
8. Poderíamos...
9. ...adoraria...
10. ...seria...
11. ...importaria...

25.3.

2. iria
3. pagaria
4. gastaria
5. falaria
6. seria
7. veria
8. leria
9. diria
10. contaria

Unidade 26

26.1.

3. Ponha
4. Ponham
5. Traga
6. Tragam
7. Peça
8. Peçam
9. Leia
10. Leiam
11. Faça
12. Façam
13. Tire
14. Tirem
15. Venha
16. Venham

26.2.

1. Escovem
2. Vistam
3. Desliguem
4. Digam
5. Durmam

26.3.

2. Vire à esquerda.
3. Coma um sanduíche.
4. Arrume a mesa
5. Vista o agasalho.
6. Bebam um suco.
7. Veja as palavras no dicionário.
8. Leia as instruções.
9. Peçam dinheiro ao pai.
10. Traga queijo e presunto
11. Substitua a pilha.
12. Façam boa viagem.
13. Veja o noticiário à noite.
14. Ouça o jogo pelo rádio.
15. Suba pelas escadas.
16. Venha conosco.

Unidade 27

27.1.

1. Seja
2. Sejam
3. Vá
4. Vão
5. Dê
6. Deem
7. Esteja
8. Estejam

27.2.

2. fale
3. coma
4. tire
5. suje
6. quebre
7. escreva
8. diga
9. faça
10. derrame
11. dê

27.3.

2. Não bebam água da torneira.
3. Deem os parabéns para a avó.
4. Não saiam de perto de mim.
5. Estejam na escola às 9h.
6. Não seja preguiçoso.
7. Não se atrase.
8. Vão fazer as tarefas de casa.
9. Não destruam o quebra-cabeça.
10. Não dirija tão depressa.
11. Não sintam pena dele.
12. Não jogue papéis no chão.
13. Dê o recado para Inês, por favor.
14. Não perca o guarda-chuva.
15. Não distribuam já os presentes.
16. Não vá por esse caminho.

Unidade 28

28.1.

1. estar
2. pensarmos
3. chegarem
4. partirem
5. estarem
6. aceitarem
7. encontrarmos
8. tomarem
9. chegar
10. irem
11. saberem
12. voltar
13. comermos
14. provar
15. receber

28.2.

2. No caso de não poder ir, telefono para você.
3. Apesar de não me sentir bem, vou trabalhar.
4. Depois de fazer as compras, venha logo para casa.
5. Antes de comerem o bolo, têm de lavar as mãos.
6. Depois de acabar o trabalho, apague a luz.
7. Apesar de ter um bom emprego, não está satisfeito.
8. Antes de verem o filme, deviam ler o livro.
9. No caso de não termos aulas, vamos ao museu.
10. Depois de eles sairem, arrumo a casa.

28.3.

2. até (sem)/chegar
3. para/irmos
4. por estar
5. sem/verem
6. ao abrirem

Unidade 29

29.1.

2. misturando bem
3. sorrindo, as histórias do filho
4. Dormindo pouco

29.2.

2. Esfregando
3. Indo
4. Apertando
5. Copiando
6. Caindo
7. Falando
8. Pedindo
9. Comprando
10. Trabalhando

29.3.

A

2. vão escrevendo...
3. vão fazendo...
4. vão ouvindo...
5. vão estudando....
6. vão preparando...

B

2. vai arrumando...
3. vai tirando...
4. vai estendendo...
5. vai preparando...
6. vai arrumando...

C

2. vou fazendo...
3. vou traduzindo...
4. vou arquivando...
5. vou tirando...
6. vou preenchendo...

Unidade 30

30.1.

2. ...há ...
3. Tem havido...
4. ...houve...
5. ...havia...
6. ...há...
7. ...houve...
8. ...houve...
9. Há...
10. Há...
11. ...há...
12. ...haverá...
13. ...haveria...

30.2.

Ana: ...há de ser.../...hei de conhecer...
Rita: ...há de aprender...
Ana: ...havemos de tirar...
Rita: ...hão de esquecer.../Hão de divertir-se.../hão de...
Ana: ...há de ir...

30.3.

2. ...há de fazer.../...há de correr...
3. ...hão de encontrar...
4. ...havemos de visitar...
5. ...há de ter...
6. ...hei de ir...

Unidade 31

31.1.

2. sei
3. pode
4. Posso
5. consigo
6. Sabe/Sei
7. conseguiu
8. Conhece/conheço
9. pôde
10. consigo
11. sei/consigo
12. Conhece
13. pode
14. conseguimos
15. Conheço

31.2.

3. Precisa ser consertado.
4. Preciso fazer compras.
5. Precisa cortar o cabelo.
6. Precisa ser costurado.

31.3.

A

2. Deve ser da Maria.
3. Devem estar de férias.
4. Deve estar com gripe.
5. Devo ir ver amanhã.
6. Ele deve chegar atrasado.

B

2. deviam
3. devia
4. Devíamos
5. Devia
6. devia

31.4. *

2. Tenho de
3. tiveram de
4. Têm de
5. tem de
6. Tenho de

* Qualquer destas respostas pode ter como alternativa **ter que** na forma correta.

Unidade 32

32.1.

2. vai ser inaugurada pelo presidente.
3. O almoço é oferecido pela empresa.
4. O jogo será transmitido pelo canal 6 para todo o Brasil.
5. Os quartos já tinham sido limpos pela empregada.
6. Muitos turistas são atraídos pelo clima da região do Pantanal.
7. As crianças foram acordadas pelo barulho.
8. Muitos jovens têm sido contratados por essa agência.
9. O 1.° prêmio foi ganho por nossa equipe.
10. Os desenhos foram feitos pelas crianças do primário.

32.2.

2. foi visto perto da fronteira.
3. O banco foi assaltado na noite passada.
4. Os impostos foram aumentados.
5. Mais escolas vão ser construídas.
6. O hotel vai ser aberto no próximo verão.

32.3.

2. Foi destruída
3. Foi rebocado
4. Foi assaltado
5. Foram roubados
6. Foi atacada

32.4.

2. foi ganho pela Ana.
3. Os documentos foram encontrados pelo Pedro.
4. A viagem foi oferecida pela agência.
5. As flores foram encomendadas por nós.
6. Os exercícios foram feitos por ele.
7. O artigo foi escrito por eles.
8. O vidro foi quebrado por você.

Unidade 33

33.1.

2. está fechada
3. os sapatos estão limpos
4. os alunos estão informados
5. o quarto está arrumado
6. o contrato está assinado
7. a encomenda está entregue
8. a resposta está dada
9. o carro está consertado
10. as contas estão feitas

33.2.

2. estão feitas
3. As luzes estão acesas
4. Os testes estão corrigidos
5. A mesa está arrumada
6. A porta está aberta
7. As pessoas estão informadas
8. A proposta está aceita
9. Os documentos estão entregues
10. O cabelo está seco

33.3.

3. Já está consertada
4. Os dentes estão tratados
5. os exercícios estarem feitos
6. o chefe da quadrilha estava morto
7. A mesa já está arrumada
8. todas as pessoas já estavam salvas

Unidade 34

34.1.

2. Precisa-se de motorista.
3. Vendem-se apartamentos.
4. Compram-se roupas usadas.
5. Fala-se francês.
6. Dão-se aulas particulares.
7. Alugam-se salas para congressos.
8. Serve-se café da manhã.
9. Admitem-se cozinheiras.
10. Aceitam-se cheques.

34.2.

2. bebe-se água de coco.
3. come-se peru à brasileira.
4. trabalha-se menos.
5. celebra-se as festas juninas.
6. pega-se o barco.

34.3.

2. Alugaram-se duas "vans" para o passeio.
3. Antigamente compravam-se mais livros.
4. Ultimamente têm-se construído muitas escolas.
5. Reservaram-se as passagens para São Paulo.
6. Fizeram-se obras no museu.

34.4.

2. Cozem-se as batatas e depois descascam-se.
3. Batem-se os ovos com açúcar.
4. Mói-se a carne e depois mistura-se com o molho.
5. Prepara-se o peixe e passa-se na farinha de rosca.
6. Corta-se o queijo e põe-se no pão.

Unidade 35

35.1.

2. no mês seguinte ia mudar para um apartamento.
3. ia se casar na semana seguinte.
4. não tinha tempo para preparar nada.
5. tinha tirado uns dias de férias para tratar de tudo o que era necessário.
6. eu queria ir jantar na casa dela.
7. o futuro marido dela também iria ao jantar.
8. ele trabalha (trabalhava) com camputadores.
9. já tinham feito os planos para a lua de mel.
10. iam fazer um cruzeiro pelo Mediterrâneo.
11. partiriam logo após o casamento.
12. eu estava convidada para a festa.

35.2.

2. tinha dito que ia ao cinema.
3. Pensei que tinha dito que o filme não tinha sido bom.
4. Julguei que tinha dito que a Ana não gostava do João.
5. Pensei que tinha dito que eles não iam se casar.
6. Julguei que tinha dito que tomava (sempre) café.
7. Pensei que tinha dito que queria falar com eles.
8. Julguei que tinha dito que podia ir à festa.
9. Pensei que tinha dito que hoje, à noite, não ficava em casa.
10. Julguei que tinha dito que tinha passado no exame.
11. Pensei que tinha dito que o empregado não era simpático.
12. Julguei que tinha dito que não tinha pago o almoço.
13. Pensei que tinha dito que não tinha gasto o dinheiro todo.
14. Pensei que tinha dito que o Hugo não vinha conosco.

Unidade 36

36.1.

1. o
2. as
3. a
4. os
5. a
6. as
7. a
8. o
9. as
10. a
11. o
12. a
13. o
14. a
15. o
16. a
17. o
18. a
19. o
20. a
21. o
22. a
23. o
24. a
25. o
26. a
27. o
28. a
29. o
30. a
31. as
32. o
33. a
34. o
35. a
36. os
37. a
38. o
39. a
40. o

36.2.

1. uma
2. uma
3. um
4. uma
5. um
6. um
7. um
8. uma
9. uma
10. uma
11. um
11. umas

36.3.

1. uma
2. a
3. uma
4. A
5. o
6. uma
7. o
8. O/a
9. uma/a
10. um
11. umas/uns
12. As
13. um
14. um/uma
15. O/a
16. um

Unidade 37

37.1.

1. Isto
2. Isso
3. Aquilo
4. Isso
5. Aquilo
6. Isto
7. Isto
8. Aquilo
9. Isto
10. Isso
11. Isto
12. Isso

37.2.

1. Isso
2. Aquilo
3. Isto
4. Aquilo
5. Isso
6. Aquilo
7. Isto
8. Aquilo
9. Isso
10. Isto
11. Isso
12. Isso

37.3.

2. Aquilo é a escola de português.
3. Isso é o quadro da sala.
4. Isto é uma borracha.
5. Isso são canetas.
7. Isto é uma janela.
8. Isso é um dicionário.
9. Aquilo é a pasta da professora.
10. Isto é uma caneta.

Unidade 38

38.1.

1. estas
2. este
3. este
4. esta
5. estas
6. estes
7. esta
8. este
9. estes
10. esta
11. este
12. estas

38.2.

1. esse
2. essas
3. esse
4. esses
5. esses
6. essas
7. essa
8. essas
9. esse
10. essas
11. essa
12. esse

38.3.

1. aquelas
2. aquela
3. aquele
4. aqueles
5. aquelas
6. aquele
7. aquela
8. aqueles
9. aquele
10. aquele
11. aquelas
12. aquela

38.4.

2. Aquelas flores são artificiais.
3. Este presente é para o professor.
4. Esses óculos são da Ana.
5. Aquele supermercado é novo.

38.5.

2. Esse/este
3. Esses/estes
4. Esse/este
5. Esse/este
6. Essa/esta
7. Esse/este
8. Essas/estas
9. Esse/este
10. Essa/esta

Unidade 39

39.1.

3. É de vocês.
4. São minhas.
5. É seu.
6. São deles.
7. São nossas.
8. É dela.
9. São nossas.
10. É dele.
11. É seu.
12. São nossos.

39.2.

2. dele
3. dela
4. deles
5. dele
6. delas

39.3.

3. o seu carro
4. a minha escola
5. o nosso quarto
6. a mala dela
7. os seus amigos
8. os namorados delas
9. as suas canetas
10. o escritório dele
11. os seus livros
12. os nossos avós
13. a sua casa nova
14. os filhos deles
15. o dicionário de vocês
16. a nossa filha

Unidade 40

40.1.

1. Quem
2. A que horas
3. De que cor
4. O que
5. Qual
6. Quanto tempo
7. Quantos
8. Quantas
9. Como
10. Onde

40.2.

2. Quanto tempo/Quantas horas demoraram
3. A que horas chegaram
4. Para onde foram
5. O que é que fizeram
6. Onde é que jantaram
7. O que é que comeram
8. Como é que voltaram para o hotel
9. Como estava a noite
10. Porque é que se deitaram cedo

40.3.

1. Onde
2. Para onde
3. Por onde
4. De onde
5. Quem
6. A quem
7. Para quem
8. De quem
9. O que
10. Que
11. A que
12. Em que
13. Quanto
14. Quantos
15. Quantas
16. Quanto

Unidade 41

41.1.

2. Alguém/ninguém
3. todo/tudo/nada
4. alguma/nada
5. todos/tudo
6. algum/nenhum

41.2.

1. nada
2. tudo
3. todos
4. todo
5. todo
6. muitas
7. Todos
8. pouco
9. Alguém
10. todo/toda/nada
11. nada
12. outra
13. Ninguém
14. Toda
15. Alguns/ninguém

41.3.

4. Não há nenhuma sala livre
5. Não há ninguém no escritório
6. Ela não arrumou nada
7. Não lhe deram nenhumas informações
8. Ele bebe pouco leite
9. Não há nenhum feriado este mês
10. As crianças não desarrumaram nada
11. Amanhã não tenho nenhum tempo livre
12. Pouca gente os conhece
13. Não visitamos nenhuns locais de interesse cultural
14. Hoje tive pouco trabalho
15. Ninguém ligou enquanto estive fora
16. O João acha que não sabe nada

Unidade 42

42.1.

2. que
3. quem
4. que
5. onde
6. que
7. que
8. que
9. quem
10. onde

42.2.

2. ...com o qual...
3. ...para a qual...
4. ...no qual...
5. ...dos quais...
6. ...ao qual...

42.3.

2. ...cujas paredes são cor de rosa,...
3. ...cujos resultados foram os melhores,...
4. ...cuja camiseta é listrada,...
5. ...cuja capa é vermelha,...
6. ...cujo paletó é preto,...

42.4.

2. O Rio de Janeiro, cujo padroeiro é São Sebastião, é uma cidade em festa na noite de 20 de janeiro.
3. O empregado com quem falamos era muito simpático.
4. Passei no exame para o qual estudei muito.
5. Qual é o nome do hotel onde nós ficamos?
6. A senhora, a quem aluguei a casa, ainda está no estrangeiro.
7. A história que eles contaram era mentira.
8. Isso é uma afirmação, com a qual (eu) não concordo.
9. Viu o dinheiro que estava em cima da mesa?
10. O médico que me atendeu era muito competente.

Unidade 43

43.1.

2. o/a
3. a
4. o
5. nos
6. os
7. os
8. as

43.2.

2. Quero vê-la.
3. Não o comam todo.
4. Pode guardá-la. Já a li.
5. Vou pô-lo no forno.
6. Vou abri-la.
7. Fechem-na à chave.
8. Ajude-me a levantá-lo.
9. Façam-nas bem.
10. Ponham-nos na pasta.
11. Vamos convidá-los.
12. Levem-nos no carro.
13. Encontrou-o?
14. Deixei-os na escola.
15. Faça-os em casa.
16. Gostei de ouvi-lo.
17. Aqueçam-no.
18. Tenho que lê-los.
19. Quero convidá-la para jantar.
20. Muito prazer em conhecê-los.

43.3.

2. nos
3. o/a
4. os/as
5. me
6. o
7. a
8. as
9. os/as
10. os

Unidade 44

44.1.

2. lhe
3. lhe
4. nos
5. lhe
6. nos
7. lhes
8. lhes
9. me
10. lhes

44.2.

2. Vou mostrá-lo ao Rui.
   Vou mostrar-lhe o quarto.
3. Ele ofereceu-os ao Carlos.
   Ele ofereceu-lhe os ingressos.
4. Já as dei ao Sr. Oliveira.
   Já lhe dei as informações.
5. Eles contaram-na ao João.
   Eles contaram-lhe a história.
6. Mandei-a à Dona Maria.
   Mandei-lhe a encomenda.
7. Dei-o ao professor.
   Dei-lhe o presente.
8. Entregou-os ao aluno?
   Entregou-lhe os livros?
9. Já o pagou ao proprietário?
   Já lhe pagou o aluguel?
10. Mostraram-no à Ana.
    Mostraram-lhe o apartamento.
11. Emprestei-o ao seu irmão.
    Emprestei-lhe o dicionário.
12. Só a contei para você.
    Só lhe contei a conversa.

Unidade 45

45.1.

mim
vocês
você
nós
nós
eles

45.2.

comigo
com vocês
com você
com a Ana/com ela
conosco
com eles

45.3.

1. conosco/com vocês
2. com o senhor/com ele
3. com eles/comigo
4. com os senhores
5. comigo
6. com vocês/conosco/com você
7. com você
8. com ele
9. com a senhora/comigo
10. com os senhores

45.4

1. mim/você
2. você
3. a senhora/mim
4. mim
5. o senhor
6. você
7. você
8. mim
9. ela
10. você

Unidade 46

46.1.

1. em frente do
2. na frente do
3. dentro da/na
4. debaixo do
5. entre
6. na
7. à
8. ao lado do

46.2.

1. na
2. em frente do
3. no
4. debaixo da
5. no/ao lado do
6. em cima da
7. na
8. à
9. na
10. na
11. no
12. entre
13. ao lado da
14. à
15. atrás da
16. em cima da

46.3.

1. à
2. entre
3. à
4. à/na frente do
5. entre
6. à/em frente do
7. atrás do
8. ao lado da
9. atrás da
10. ao lado da

Unidade 47

47.1.

1. a
2. ao
3. à
4. para
5. ao
6. para
7. a/para
8. ao
9. a
10. aos

47.2.

1. para/pela
2. pela
3. pela/por
4. pelo
5. para/para
6. para/por/pela
7. para/pela
8. pelo
9. para/pelo
10. para

47.3.

1. de/de
2. na
3. de
4. no/de
5. do
6. do/no
7. no
8. do/no
9. da
10. do

47.4.

2. O João vai para a escola a pé.
3. Nós vamos no carro dele.
4. Eles voltam para São Luís no avião das 20h30.
5. Eu saio de casa às 8h.
6. Eles vão à (para a) praia de Táxi.

Unidade 48

48.1.

1. A/de
2. Às/da
3. Na
4. No
5. Na
6. Nas/de
7. À/De
8. Ao
9. Em/de
10. No/do
11. À/da
12. Nos/de
13. Na
14. Em
15. De
16. Às/da
17. À
18. Na
19. Em
20. Às/da
21. Às

48.2.

1. por
2. para
3. para
4. por
5. para
6. pelas
7. por
8. por

48.3.

1. Aos
2. No
3. Na/à
4. Na
5. às/na
6. aos
7. No

48.4.

1. às/da/à
2. nos
3. em
4. à/às
5. aos/de
6. no/de/no/de
7. No/de
8. no/em
9. de/a
10. no

Unidade 49

49.1.

1. de
2. de
3. em
4. com
5. por
6. da
7. com
8. a
9. pelo
10. dele
11. de
12. por/em
13. com você
14. por
15. do
16. em
17. com
18. em
19. em
20. à

49.2.

1. simpatizei/com
2. viveram em/regressaram ao
3. se interessou por
4. se encostou no
5. tinha chegado ao
6. perguntou por
7. depende das
8. se esforçou por
9. optou por
10. se queixando da

49.3.

1. Esta noite sonhei com fantasmas.
2. Nós esperamos por você lá em baixo.
3. Gostava de ir com vocês mas não posso.
4. As mães sempre se preocupam com os filhos.
5. Ultimamente (eu) tenho pensado muito em você.
6. O inspetor suspeita/suspeitou do marido da vítima.
7. Ele não se habitua/habituou com a vida na cidade.
8. Ainda se lembra do meu irmão?
9. O Diogo insistiu em pagar o jantar.
10. Concentre-se em seu trabalho!

Unidade 50

50.1.

1. de
2. dos
3. dos
4. com
5. de
6. com
7. do que/que
8. com
9. do/do
10. com
11. com você
12. com
13. de
14. com
15. a
16. com
17. com
18. de
19. a
20. a

50.2.

1. cansada de
2. chocado com
3. cheio de
4. acostumada a
5. dependente dos
6. impressionados com
7. relacionadas com
8. desiludidos com
9. difícil de
10. contente com

50.3.

2. habituada a pôr pouco sal na comida.
3. preocupados com os filhos.
4. cheio de turistas.
5. diferente da sua.
6. difícil de encontrar.

Unidade 51

51.1.

2. mais antiga do que o museu
3. mais caras do que as minhas
4. mais frio do que ontem
5. mais jovem do que o irmão
6. maior do que este
7. mais rápido do que o ônibus
8. mais baratos do que aqueles
9. mais baixa do que a Joana
10. mais cedo do que você

51.2.

2. maiores
3. mais fácil
4. melhor
5. mais perto
6. pior
7. mais comprida
8. mais leve
9. mais magra
10. mais alto

51.3.

2. maior
3. melhor
4. mais cedo
5. pior
6. mais simpático

51.4.

2. não é tão grande como a Espanha
3. não joga tão bem como ele
4. não está tão quente quanto o leite
5. não come tão depressa como ele
6. não é tão alto quanto a Ana

Unidade 52

52.1.

2. cedíssimo
3. gordíssimo
4. fortíssima
5. atrasadíssimos
6. pesadíssima
7. duríssimo
8. quentíssima
9. dificílimo
10. ótimo
11. gravíssimo
12. caríssimos

52.2.

2. as melhores
3. a mais antiga
4. a maior
5. o pior
6. a mais bonita
7. o mais alto
8. as mais doces
9. o mais interessante
10. o mais popular

52.3.

3. o homem mais rico
4. o dia mais feliz
5. a moça mais bonita
6. o maior rio
7. os melhores alunos
8. o político mais popular
9. o pior discurso
10. a atriz mais famosa

Unidade 53

53.1.

1. tanto
2. tão
3. tão
4. Tantos
5. tanta
6. tão
7. tão
8. tantas
9. tão
10. tanto
11. tão
12. tanto

53.2.

2. tão mau
3. empregado tão antipático
4. Que bolo tão bom
5. Que jantar tão caro
6. Que festa tão divertida
7. Que amigos tão simpáticos
8. Que sofá tão confortável

53.3.

1. tão
2. tanto
3. tão
4. tão/tanta
5. tanta
6. tantas

53.4.

2. Estou com tantas dores que vou tomar um comprimido.
3. O professor fala tão depressa que não entendo nada.
4. O dia de ontem esteve tão quente que fomos até à praia.
5. A Ana estudou tanto que ficou com dor de cabeça.
6. Fez tanto barulho que acordou o bebê.
7. Ele comeu tanto que não consegue levantar-se.
8. Ela se sentiu tão mal que o marido chamou o médico.

Unidade 54

54.1.

1. há
2. há
3. desde
4. há
5. desde
6. há
7. há
8. há
9. desde
10. desde

54.2.

2. em Manaus desde janeiro
   em Manaus há oito meses
3. desde segunda-feira
   há 5 dias
4. desde as 7h
   há cinco horas
5. desde o dia 1.°
   há 15 dias

54.3.

1. desde/há
2. há/desde
3. há/desde
4. há/desde
5. desde/há

54.4.

1. Não leio o jornal desde ontem
2. Chegamos há cinco minutos
3. Estudo português desde 1992
4. Moro aqui desde dezembro
5. A estreia foi há quinze dias
6. Estou esperando há duas horas
7. Estou aguardando desde as 14h
8. Não ando de avião desde os cinco anos
9. Não ando de avião há cinco anos